部活でスキルアップ！
ダンス上達バイブル

増補改訂版

監修　一般社団法人ストリートダンス協会専門委員長
　　　日本高校ダンス部選手権特別審査員　のりんご☆
協力　一般社団法人ストリートダンス協会

JN135556

メイツ出版

はじめに

監修者のことば

　本書の初版が発行されてから早いもので4年の歳月が過ぎようとしています。その間にも世界の環境は大幅に変容をとげ、人々の生活の在り方も大きく変わりました。変革の時代とともに、ダンス界も目まぐるしく変化しています。大会に出場する各学校のレベルも数段高いものになり、以前とは比べ物にならないほど進化しています。

　私が日本高校ダンス部選手権"DANCE STADIUM"に携わるようになって十年以上が経過し、この大会の予選、決勝と長年にわたり審査員を経験して得た「どうすれば大会で勝てるのか？」、そのエッセンスがこの本には凝縮されています。また、今回の増補改訂版を発行するにあたり、ご要望の多かった技術面についてより具体的な例を挙げ、実際に本を読み進めながらトレーニング出来るものを厳選して加えました。これらは私がこれまでダンスを指導するうえで自ら実践し、効果の高かったものを取り上げています。

　どのページから読み進んでも構いませんし、キーワードやポイントだけを読んでもいいでしょう。困ったときの解決本として活用することもできます。まずは気楽に読み進め、仲間と楽しみながら実践してみてください。この本が皆さんの上達のきっかけのひとつとなれば幸いです。ダンスを頑張っているみなさんを心から応援しています。

一般社団法人ストリートダンス協会　専門委員長
日本高校ダンス部選手権"DANCE STADIUM"審査員
のりんご☆（前山善憲）

協会のことば

　ダンス部がある高等学校は全国約2,000校にのぼり、毎年約100校ずつ増えています。高校から始める人も多く、近年最も人気のある部活動と言えます。

　私ども一般社団法人ストリートダンス協会は、社会に出る準備段階である中高生の皆さんに、ダンスを通じてコミュニケーション能力と適応能力を養っていただきたいと願っています。青春の大切な時期に自己表現の方法としてストリートダンスを選んだ中高生たちの目標となる大会として、日本高校ダンス部選手権"DANCE STADIUM"を2008年にスタートさせました。

　目標に向かってまっすぐ進み、その目標が達成された時に努力が報われることを知り、自身の可能性を強く信じられるようになります。ダンス部で困難や壁にぶつかり、それを乗り越えていく経験は、学校を卒業してからの人生においても大きな意味を持ちます。同じ夢、同じ目標を持った仲間と深い友情と信頼の絆を結び、人間性を磨いていただきたいと思います。

　ダンス部の活躍がマスメディア等でも注目されていますが、ダンス経験のある指導者が不在で、日々の練習内容や大会へ向けた作品づくりに苦労されている学校も多いのが現状です。本来ダンスには正解も不正解もなく、楽しく踊ることが一番大切なことではありますが、ダンス部の皆さんが抱えがちな疑問や悩みについて解決のヒントが見つかるかも知れませんので、ぜひ参考にしてください。

　私どもはこれからもダンスに情熱をかける中高生を心より応援致します。ダンスから生まれる大いなる感動がひとりでも多くの人に届くことを願って。

一般社団法人ストリートダンス協会　理事長
福田和美

CONTENTS もくじ

部活でスキルアップ！
ダンス 上達バイブル 増補改訂版

はじめに ……………………………………… 02
ストリートダンスの魅力 …………………… 10

1章扉　基本練習で基礎づくり …………………… 13

01　**ストリート系ダンスの種類**を知っておこう！ …………… 14
02　日本の部活で行われている**ストリートダンス**とは？ …… 16
03　ダンスに必要な**アイテム**をそろえよう！ ………………… 18
04　ダンス部がなければ仲間を集め**部活を作る**！？ ………… 20
05　同じ目標に向かって進める**メンバーを集める** …………… 22
06　状況に合わせて臨機応変に**練習場所**を考える …………… 24
07　レベルアップするために**指導者**について考える ………… 26
08　**部活の目標**を決めて部員の心をひとつにする …………… 28
09　ダンス能力の土台を作る**練習メニュー**を決めよう ……… 30
10　ウォーミングアップには**動的ストレッチ**を行う！ ……… 32
11　**体幹トレーニング**を通してインナーマッスルをきたえる … 34
12　体をバラバラに動かす**アイソレーション**をする ………… 36
13　ビートに合わせて体を動かし**リズムトレーニング**をする … 38
14　リズムに乗って足を動かし**ステップ**の練習をする ……… 40
15　ステップをつなげて踊る**ルーティーン**の練習をする …… 42
16　**クールダウン**には静的ストレッチでケガ予防！ ………… 44
17　**いろいろなダンス**に挑戦し、表現力をアップする！ …… 46
18　日々の課題を明確にする**ダンスノート**を書こう ………… 48
19　**筋トレ＆持久力アップ**で力強い踊りをする ……………… 50

2章扉　チーム力をアップするために …… 59

- **20** メンバーの意見を聞きながら**年間スケジュール**を決める …… 60
- **21** **部員の役割分担**を決めて責任感を持たせる …… 62
- **22** **メンター制**を導入して部活内の実力差をなくす …… 64
- **23** **ダンスバトル**の練習をして個々をレベルアップする …… 66
- **24** **ミーティング**を通してチームの団結力をUP …… 68
- **25** ステップアップのために**外部指導者**を探す …… 70
- **26** ステップをアレンジして簡単な**振り付け**を作る …… 72
- **27** 展開を工夫しながら迫力ある**振り付け**を作る …… 74
- **28** 基本の振り付けに**フォーメーション**をつける …… 76
- **29** **フォーメーション**と**動き**に変化をつけ、立体感を出す …… 78
- **30** 動きを合わせることで**ユニゾン**をそろえる …… 80
- **31** リズムに合わせることで**ユニゾン**をそろえる …… 82
- **32** 指先から髪の動きまで一糸乱れぬ**ユニゾン**をする …… 84
- **33** **合宿**で衣食住を共にしてチームワークを育む …… 86
- **34** 勉強にもしっかり取り組み**ダンスと両立**させる …… 88
- **35** それぞれの**持ち味**を活かしながら踊る …… 90

感動を呼ぶダンスの極意　08

一歩上の踊りを目指す人のための
ダンスの身体をつくる4つのトレーニング　51
（脱力、バランス、呼吸、体軸）

見る人の心を動かす
舞台の使い方　91
（出ハケ、舞台袖、舞台使い、多角的な視点）

衝撃を与える
ダンスの見せ場とは!?　132
（リフト、連鎖、アクロバット）

※本書は2019年発行の『部活でスキルアップ！ダンス　上達バイブル』を元に、新しい内容の追加と必要な情報の確認・更新を行い、「増補改訂版」として新たに発行したものです。

3 章扉　大会で勝利をつかむ！ ……………………………… 97

36 **コンテスト**に出場して 自分たちの実力をためす …………… 98
37 選抜方式で代表選手を選び**実力主義**を導入する ………… 100
38 「何を伝えたいのか？」を考えて**作品**を作る ……………… 102
39 **音楽**を深く理解してダンスで表現する …………………… 104
40 **異なるリズム**のダンスを組み合わせて、変化をつける …… 106
41 自分たちだけの**"強み"**を生み出し、研ぎ澄ます！ ……… 110
42 **衣装**にこだわってダンスをより良く魅せる！ …………… 112
43 **体調管理**を徹底しつつメンタルを強化する ……………… 116
44 **ダンスバトル**で勝つための駆け引きに慣れる …………… 118
45 **審査員**がどのような視点で見ているかを知ろう！ ……… 120
46 **表現力**をアップさせてひとつ上のダンスを踊る ………… 126
47 メンバーの**個性**を発揮！ …………………………………… 128
48 **コンテスト前**の心構え ……………………………………… 129
49 ダンスの**楽しさ**を再確認する ……………………………… 130
50 **感動**を生むダンスを目指す ………………………………… 131

他の学校から学ぼう！ …………………………………………… 140
監修＆協力紹介 …………………………………………………… 142

ダンス部が強くなるための50の極意を紹介します！

ダンス部やダンスグループが大会やコンテストで良い結果を出すためのレベルアップ法や、部やチームの運営をするための工夫など、ダンスで"勝つ"ためのさまざまな情報を取り上げます。

ナンバー
この本全体で50の極意を取り上げます。

キーワード
このページで学ぶ主な内容です。

難易度
この内容を実現する、難しさの度合いです。

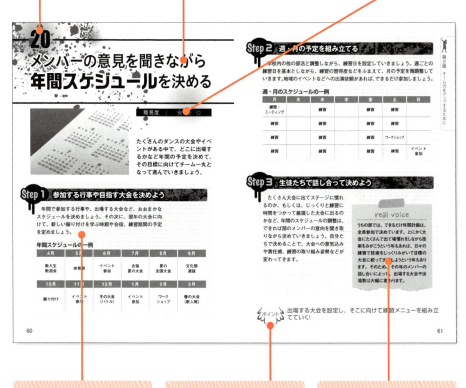

解説
文章、写真、イラストで詳しく解説します。

ポイント
ここで紹介した内容のポイントです。

リアルボイス
ダンス部から集めた生の声です。

感動を呼ぶダンスの極意

ダンスを通して人々に感動を与える、そのために必要なものとは何でしょうか？そのヒントを、「身体」「舞台」「見せ場」という3つの観点から考えてみましょう。

一歩上の踊りを目指す人のための
ダンスの身体をつくる4つのトレーニング P51

見る人の心を動かす
舞台(ステージ)の使い方 P91

衝撃を与える
ダンスの見せ場とは!? P132

ストリートダンスの

今、ストリートダンスの魅力にとりつかれる人が急増しています。ストリートダンスの何が、そこまで人をとりこにするのか？　その魅力に迫ります。

魅力1　体を動かして表現できる喜び

手足をひねらせ、体をひるがえし、全身をとおして表現することそのものが、とても気持ちの良いこと。まずは踊る楽しさを体感してみましょう。

魅力 3

ジャンルの幅が広く なおかつ深い世界

ストリートダンスは、幅広いジャンルがあり、それぞれ深い世界が広がっています。突き詰めれば突き詰めるほど、はまっていく魅力的な世界です。

魅力 2

魅力3 仲間と一緒に踊る共有感を味わえる

仲間たちと汗を流し、一緒に踊ることはかけがいのない喜び。ユニゾンがピタッとそろったときには、内側からこみ上げてくるような感動をおぼえることでしょう。ダンスを通して体験した仲間たちとの思い出は、一生の宝物となります。

1 基本練習で基礎づくり

01 ストリート系ダンスの種類を知っておこう！

難易度 ★☆☆

ストリート系のダンス（以下、ストリートダンス）とは、独自に進化した様々なダンスジャンルの総称。どんなダンスがあるのか基本を押さえましょう。

Step 1 多様な進化を遂げた、多くのジャンルがある

ストリートダンスは、1950～60年代のアメリカの黒人文化の中で音楽（ブラックミュージック）に合わせて踊りを始めたところにルーツがあると言われています。

1970年代に放映が開始された全米人気テレビ番組『ソウル・トレイン』などの影響もあり、ロックダンスやブレイクダンスなど様々なスタイルのダンスが生まれ、独自の進化を遂げました。

日本ではオールドスクール・ミドルスクール・ニュースクールと3つの時代によってダンスジャンルを分類されることがあります。

ストリートダンスの歴史

1900年初頭

ジャズダンス
バレエ（ヨーロッパ）を基本にした、身体の美しさを表現したスタイル。ストリートダンスの動きを取り入れて現在はストリートジャズ・コンテンポラリーダンスなどへと進化。

1950年代
ストリートダンスのルーツとなる、ブラックミュージックに合わせた踊りが誕生する（アメリカ）。

1970年代

オールドスクールダンス

ポップダンス
筋肉をはじくポップという動きなどを使い、不思議な動きをする。

ロックダンス
カギをかけるように体をピタッと止め、そこから動き出す。

ブレイクダンス
アクロバティックな動きが多いなど、バトル的な要素が強い。

アニメーションなどへ派生。ブガルーの総称で呼ばれることも。

1980年代

ミドルスクールダンス
I.S.D、ニュージャックスウィング、ビバップ、ホーシングなどが誕生。

1990年代

ニュースクールダンス
ヒップホップの他にもハウスダンス、レゲエダンスなどが誕生。

ヒップホップ
ヒップホップミュージックにあわせて踊るダンスで、自由で遊び心があるジャンル。最もポピュラーで、初心者がスタートしやすい。広い意味では、ダンス、DJ、ラップ、グラフィティの4つの文化の総称でもある。

ポイント ストリートダンスは現在も進化をし続けており、新しいジャンルが次々と生み出され続けている。

02 日本の部活で行われている　ストリートダンスとは？

難易度　★ ☆ ☆

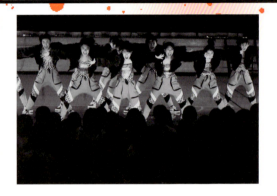

アメリカで生まれたストリートダンスは、日本で独自の進化を遂げています。現在、中高のダンス部で取り組むストリートダンスについて紹介します。

Step 1　創作ダンスにストリートダンスが合体！

もともと日本の学校教育で行ってきたダンスの多くは、テーマ性を設けて、フォーメーションを取り入れながら群舞をする創作ダンスです。近年、昔から行われてきた創作ダンスのスタイルに加えて、ジャズダンスやヒップホップといったストリートダンスの要素が加わりました。

現在は、創作ダンスにおけるテーマ性、衣装、群舞の美しさ、ストリートダンスのステップ、リズム、時代背景、カルチャーなど、実に多様な要素が融合したダンススタイルとなっています。

Step 2　中高で人気のあるダンス部

　これまで取り組まれてきた創作ダンスに、ストリート系ダンスの要素が加わったことで、おしゃれでかっこいいイメージが広がり、現在のダンス部は中高生の間で人気の高い部活となっています。日本のダンス人口は600万人以上ともいわれ、野球やバレーボールなどのスポーツと並んで、多くの人に親しまれています。

文部科学省の学習指導要領では小学校でリズムダンス、中学校で現代的なリズムのダンスとしても取り入れられています。

Step 3　初心者も多く、誰もが始めやすい部活

　現在は、小中学校でもリズムダンスを行うようになり、ダンスは多くの人にとって馴染みのあるものとなっています。中高の部活で本格的に始める人も多く、新たに始めやすい部活です。舞台などで群舞をする体験は、仲間と共に心をひとつにして挑むため、大きな達成感を味わうことができます。さらに、少人数で臨むバトルスタイルの競技もあるなど、様々な個性を発揮することができます。

ダンス部は、様々な個性が集まる場所。

日本で取り組まれていた創作ダンスに、ストリートダンスの要素が加わった！

03 ダンスに必要なアイテムをそろえよう！

難易度 ★☆☆

ストリートダンスの格好は、特に決まりはないですが、まずは踊りやすさを追求しつつ、ストリートダンスの雰囲気があるアイテムを選びましょう。

Step 1 ダンスに合わせたアイテムをそろえる！

少し大きめのサイズの服の方を選んでヒップホップ感を出してみたり、身体の線がでる細身の服を選んで細かな表現を追求したり、そのダンスに合った服装を選ぶことが大切です。特に重要なのがシューズです。現在は様々な種類のシューズを履くダンサーがいますが、基本的にはしっかりと靴底のグリップが利くものを選ぶ必要があります。ただし、ダンスのジャンルや表現によっては、靴底が滑りやすいものが好まれることもあります。ジャズ系のダンスでジャズシューズを履いたり、時には裸足で踊ったりすることもあります。

STEP 2 まずは最低限必要なものをそろえよう！

ダンス経験者に聞くなどしながら、まずはダンスを踊るために最低限必要なアイテムをそろえましょう。

Tシャツ

運動に適したTシャツを着る。部活で同じデザインの練習着をそろえるところも多い。

パンツ

ハーフパンツ、ジャージ、レギンスなど、動きやすいものをはく。

シューズ

基本は、靴底が平らで滑りにくいものを選ぶ。足首を守るハイカットのものが理想的。

水とタオル

激しく動くため、水分補給と、汗をふくタオルなども忘れずに。リストバンドやヘアバンドを使う人もいる。

音楽プレイヤー

ダンスを踊るために、音楽を流す器機を用意する。スマホに楽曲を入れておき、スピーカーとつなげて使用することもある。

第1章 基本練習で基礎づくり

 ポイント ファッション性と機能性を考えて、アイテムを選ぼう！

04
ダンス部がなければ仲間を集め**部活を作る**!?

難易度 ★★☆

学校でダンスをやりたい、と思ってもダンス部がなければ始められません。ダンス部を作る手順の一例を紹介します。

Step 1 担任に相談し、顧問の候補を探る

部活を作るには顧問になってくれる先生が必要です。まずは担任などに相談し、部活の顧問になっていない先生や部活設立に必要なことを確認しましょう。簡単には顧問を引き受けてくれなかったり、いくつものハードルが立ちはだかったりするかもしれませんが、情熱をもってひとつひとつクリアしていくことが大切です。

Step 2　部活の設立に必要な条件を満たし、申請を出す

　部活の顧問を決めたり、部活設立に必要な人数の部員を集めたり、活動場所を探したりしながら、部活設立の条件を満たして申請を出します。

　部活として認められれば、学校の名前で大会に出場でき、予算で用具を買うことができるなどのメリットがあります。まずは、同好会として活動をスタートし、実績を重ねながら部活昇格を目指すケースも多いでしょう。

　中には、すでにあるダンス部の中で、ストリートダンスのチームを作って活動している例もあります（チアダンス部の中に、ストリートダンスの活動をするなど）。様々な可能性を考えながらダンス部の設立を目指しましょう。

第1章　基本練習で基礎づくり

部活設立に必要な3大要素

　部活を設立するのに必要な3大要素がこの3つ。以降のページでさらに詳しく見ていきましょう。

- メンバーを集める　P20
- 練習場所を決める　P22
- 顧問や指導者を探す　P24

real voice

うちの学校はバスケやバレーなどがとても強豪です。そんな中で、体育会系の部活には入れないけれど、体を動かしたいという人たちが集まってダンス部を設立しました。多くの生徒の支持を得ることができて、今では、学校内で1、2を争うほど人気の部活となっています。

ポイント　新しく部活を作る！　もしくは、すでにあるダンス系の部活の中にストリートダンスのチームを作る！

05 同じ目標に向かって進める メンバーを集める

難易度 ★★☆

部活の設立に必要な人数を集めたり、新入生を勧誘したり、たくさんの部員のいる活気ある部活を目指しましょう。

Step 1　ダンス部のメンバーを集める

　部活を作る場合、学校で決められた、部や同好会の設立に必要な人数を集めましょう。部活を存続させるためには、毎年新しいメンバーが加入することが必要ですし、大会でも大人数でのユニゾンは迫力が違います。友だちや新入生に声をかけたり、メンバー募集のポスターを貼ったり、様々な方法で人を集めましょう。SNS等を活用する際には、学校の許可を得て、プライバシーを守り、リスクを把握したうえで活用しましょう。

Step 2 一番のアピールは踊りを見てもらうこと

ダンスの魅力を伝えるのに、もっとも効果的なのは、実際にダンスを見てもらうこと。その演技に感動したり、一緒に踊りたいと思ってもらったりすることが、入部につながります。新入生歓迎会、文化祭、地域のイベントなどでダンスを披露する機会があれば、全力で取り組みましょう。

第1章 基本練習で基礎づくり

Step 3 部が目指す方向性を知って入部してもらおう

新入生や入部希望者は、最初は部活の見学や体験に来ます。ここで大切なのは、「全国大会出場」や「楽しくダンスをする」など、自分たちの目標（P28を参照）や部の方針を伝え、それを理解したうえで入部してもらうこと。特に初心者の人には丁寧に説明することを心がけましょう。せっかく入部しても、目標や練習方法に共感できず、辞めてしまっては意味がありません。

real voice

最初は3人で同好会として設立して、廊下や空き教室などで細々と活動。顧問には中学校に訪れる入学説明会でPRもしてもらいました。6年を経てメンバーの数も15人に増えて、ようやく部活に昇格することができました。

ダンスの魅力を伝え、自分たちの目標に共感してもらいながら、ダンスをやりたい人を集める！

06 状況に合わせて臨機応変に練習場所を考える

難易度 ★★☆

ダンス部の最も大きな悩みのひとつが練習場所を自由に確保できないこと。さまざまな工夫をしながら練習に取り組んでみましょう。

Step 1　空き教室や廊下で練習するダンス部も多い

　まだ始めたばかりの実績がないダンス部は廊下や空き教室で細々と練習することも多いでしょう。実績を残している強豪校でも、学校のスペースの問題で空き教室や廊下の広間を使わざるをえなかったり、他の部活との関係で体育館を毎回は使えなかったりするのが現状です。一方で、専用のダンススタジオを持つ学校もあるなど、練習環境は学校によってさまざまです。

Step 2　体育館が使えないときは基礎練を！

　放課後4時間の練習時間のうち、バスケ部などと2時間ずつ、体育館を使える時間をシェアしているダンス部もあります。それ以外の時間を、ストレッチや筋トレ、ランニングなどの基礎体力づくりや、場所をとらない基礎トレーニングなどにあてているダンス部もあります。時間を有効に使いながら、短時間で集中して取り組むことが求められます。

Step 3　どんな場所でも練習できる、それがストリートダンス

　ストリートダンスは、その名の通り、屋外で取り組まれたダンスです。室内の練習場所が確保できなくても、屋外のちょっとしたスペースがあれば練習は可能です。鏡がなくても今はスマホなどで動画を撮れるので、自分たちの踊る姿を確認できます。「どんな場所でも踊れる」「どこでも練習できる」という精神こそが、ストリートダンスの原点です。

real voice

体育館が使えないときは、地下の廊下に鏡を移動して練習場所にしています。冬は寒く、床もじめじめしていて、ステップの感触も変わってしまい、踊りに適した環境とはいいがたい環境です。だからこそウォームアップを念入りにするなど、ケガには注意して取り組んでいます。

練習場所がないのは常に悩みの種！　知恵を絞って効果的な練習を目指す！

07 レベルアップするために指導者について考える

難易度　★★☆

顧問の先生がダンス未経験者である場合もあり、指導者をどうしていくかは、ダンスのレベルアップを図るうえで大きな問題となります。

Step 1　さまざまな顧問の役割

　部活を運営するうえでの相談にのってくれる心強い存在が顧問の先生です。指導もしてくれるのが理想的ですが、ダンス経験者とは限らず、他の部活とかけもちで顧問になっている先生もいます。中には、未経験ながらもダンスのことを勉強したり、自らダンスを習ったりして指導してくれる先生もいます。また、体育の先生が顧問の場合、体の使い方やトレーニング方法の面からもサポートしてくれることもあります。顧問の先生は、様々な面から支えてくれる心強い存在です。

Step 2 ダンス経験者の生徒が指導することも多い

　ダンス部の多くでは、小学校や中学校でダンス経験のある生徒が指導をしたり、練習メニューを決めたりしています。中にはダンス部OB・OGが参加して練習をサポートしてくれる場合もあります。外部からコーチを招いて指導してもらうこともあります（P70を参照）。

Step 3 指導者のカラーによってダンススタイルが変わる

　ストリートダンスの種類（P14を参照）で紹介したように、ストリートダンスの世界には、多くのジャンルがあります。そして、それぞれに大きく異なる特徴を持っています。そのため、指導者がこれまで習ってきたダンスのジャンルによって、その部活のダンスのスタイルが決まる場合もあります。こんなダンスがしたいという明確なイメージがある場合は、指導者がこれまでどんなダンスを学んできたかも確認する必要があります。もうひとつの方法としては、外部からダンスを指導できる人を探して「部活動指導員」として招いて、顧問になってもらうという方法もあります。「部活動指導員」については、P61を参考にしてみましょう。

顧問がジャズダンスを学んでいたため、そのルーツとなるバレエの練習も取り入れている。

real voice

新しく入った1年生が、アニメーション（ポップダンスから派生したダンスジャンル）を学んでいたので、そのダンスを指導してもらい新しく振り付けに取り入れています。ダンスジャンルによって生徒が指導者になることがあるのもダンスの魅力です。

ポイント ダンス経験のある顧問の練習の他、経験者やOB・OGの基本練習も取り入れてみよう。

第1章　基本練習で基礎づくり

08 部活の目標を決めて部員の心をひとつにする

難易度　★★☆

ダンス部としての目標を立てることで、自分たちが目指す方向を定めることはとても大切。練習内容や取り組み方が大きく変わってきます。

Step 1　年間の目標を決める！

ダンス部として活動していくにあたり、まずは目標を立てましょう。どんな目標にするのかは、できれば部員みんなで話し合うことをおすすめします。「大会に出場」「大会で賞をとる」「全国大会出場」「全国大会優勝」など、現在の部活のレベルに合わせて、目標を設定していきましょう。また、部としてだけでなく、「キレのある踊りをできるようにする」「バク転をできるようになる」など部員それぞれの個人の目標も持ちましょう。

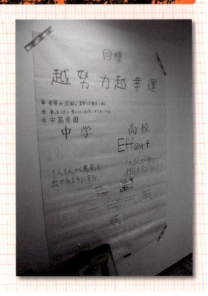

Step 2　週や月の目標を決める！

週や月間、その日の目標を決めて、日々の練習に打ち込むと、練習へのモチベーションや集中力がより高まります。週や月間の目標は「〇〇〇のステップをマスターする」「ウェーブをきれいにする」「シフトができるようになる」など、行動に移しやすい明確な目標の方がよいでしょう。

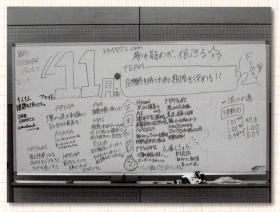

いつも目にしやすいところに目標を掲げることで、練習への意識が高まる。

Step 3　活動方針を作ろう

ダンス部の中には、活動指針を作っているところもあります。「全国大会制覇」などのダンスの目標だけでなく、ダンスの活動を通してどのような人間を目指すか、何のためにダンスを行うのかを決めることも大切なことです。さらに礼儀作法を徹底したり、練習の中で感謝の気持ちを表現したり、日々の練習の取り組み方についても落とし込みましょう。活動方針は、ふと立ち止まったとき見返すと、進むべき方向を示してくれることがあります。

real voice

私たちのダンス部では、「ダンスを通して人間性をみがくこと」を第一に考えています。ダンスに本気で向かい合うのはもちろんですが、勉強も真剣に取り組み、日々支えてくれる人への感謝を忘れない、そんな一流の人間を目指すということを活動方針の中でかかげています。

　年、月、週、日の目標をたてて、日々の練習効果をアップ！

第1章　基本練習で基礎づくり

09 ダンス能力の土台を作る練習メニューを決めよう

難易度 ★★☆

他の部活の練習メニューを参考にしたりして、ダンスに求められる基本能力をきたえつつ、自分たちに足りない能力を伸ばす練習メニューを加えましょう。

Step 1 ダンスには多くの能力が求められる！

ダンスに必要な能力

- 作品作り
- ステップ・テクニック・ユニゾンなど
- 基礎トレ

ダンスを始めたら、まず始めるのは基礎トレです。柔軟性やケガ予防につながるストレッチから始まり、踊りのバランス感や安定した姿勢を養う体幹トレーニング、さらにダンスならではの体の使い方を学ぶアイソレーションに、リズム感を養うリズムトレーニングなども大切です。日々のトレーニングを通して、ダンスの土台作りをしていきましょう。基礎トレにしっかり取り組むことが、のちのちの成長にもつながります。

Step 2 どんなダンス部にも基本の練習メニューは不可欠

ダンスの基本の練習メニューは、まだ初心者ばかりのダンス部でも、全国大会に出場するような強豪のダンス部でも取り組んでいます。ダンスの土台でありつつ、ケガを防ぐためのウォーミングアップでもあるため、日々の練習で常に続けていくことが大切です。

基本の練習メニューの一例は左下に示した内容です。練習をやりながら、不足しているダンス能力があれば、そこを重点的に行ったり、新たな練習メニューを加えていきましょう。

■基本の練習メニュー（例）

ウォーミングアップ　P32参照
▼
アイソレーション　P34参照
▼
体幹トレーニング　P36参照
▼
リズムトレーニング　P38参照
▼
ステップ　P40参照
▼
ルーティーン　P42参照
▼
クールダウン　P44参照
▼
ミーティング　P68参照

real voice

うちの部では、リズムにのるのが苦手な部員や初心者が多いため、リズム感をつけるべく、リズムトレーニングをより徹底して時間を割いて練習しています。

 ポイント ダンスの練習は、基本に始まり、基本に終わる。

10 ウォーミングアップには**動的ストレッチ**を行う!

難易度　★★☆

ダンスをする前はウォーミングアップが不可欠。体を動かしやすくする動的ストレッチや体の関節の可動域を大きくする静的ストレッチを行います。

Step 1　2種類のストレッチの効果

　体を伸ばすストレッチは、動的ストレッチ（ダイナミックストレッチ）と静的ストレッチ（スタティックストレッチ、P44を参照）の2種類があります。
　体をねじったり、関節を大きく動かしたりする動的ストレッチは、筋肉や関節の柔軟性をアップさせて体を動かしやすくし、トレーニング効果のアップやケガの予防にもつながります。
　特に冬場の寒い時期などは身体を温めるストレッチやリズムトレーニングなどを十分に行いケガの予防をしましょう。スキップなども有効です。

Step 2　おすすめの動的ストレッチ

　動的ストレッチは、腕や足を動かしながらねじったり、曲げ伸ばしをしたりして、関節をダイナミックに動かしていくのが特徴です。代表的な動的ストレッチを紹介します。

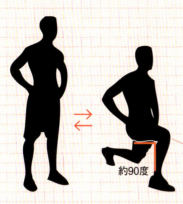

フォワードランジ
目安：左右各10回×3セット
まっすぐ立った状態から、一歩足を踏み出して、しっかり腰を落とします。そして、元の状態に戻ります。

太もも前部の大腿四頭筋や太もも裏のハムストリングス、お尻の大殿筋などを伸ばします。

肩甲骨のストレッチ
目安：前後5回
指先を肩に置いて、ゆっくり後ろにゆっくり大きく回します。その後、逆回しも行います。

背中にある肩甲骨を回すことで、肩の柔軟性や可動域が広がります。

股関節の柔軟性を高めます。

股関節のストレッチ
目安：左右10回
まっすぐ立った状態で、上半身は正面を向いたままで、片脚を持ち上げて回転させていきます。

ポイント 動的ストレッチで、トレーニング効果を高めながら、ケガも予防する！

11 体幹トレーニングを通して インナーマッスルをきたえる

難易度 ★★☆

多くのダンス部が、体幹トレーニングを練習メニューに取り入れています。体幹をきたえるメリットや、トレーニング方法について知りましょう。

Step 1 体幹トレーニングの効果

体幹とは大まかにいうと、体の中心部分のことです。この体の中心にある内側の筋肉（インナーマッスル）をきたえることで、体の姿勢を正して、体のバランス力がやしなわれていきます。ダンスをする上では欠かせない体幹の筋肉ですが、通常の筋トレではきたえにくいため、体幹トレーニングが必要になります。

Step 2 体幹トレーニングをやってみよう！

ここではダンスに必要な体幹をきたえるためのトレーニング方法の一例を紹介します。アイソメトリック・トレーニングともいわれるものです。正しい姿勢で行えているかどうか、おたがいにチェックし合うことも大切です。

第1章 基本練習で基礎づくり

腹筋や背筋をきたえることで、上半身のバランス力を向上。

プランク　目安：約60秒
うつ伏せになって、腕を曲げた状態で床について、両足を伸ばした姿勢でキープする。片方の足を上げるとさらに効果的。

サイドプランク（サイドブリッジ）
目安：約60秒
横になって腕を曲げた状態で床につき、両足を伸ばした姿勢でキープする。片方の腕を上げるとさらに効果アップ。

お腹の側面の腹斜筋、お尻上部の中殿筋などをきたえていきます。

お尻の大殿筋と、お腹周りのインナーマッスルをきたえられます。

ヒップリフト　目安：約60秒
仰向けになって、両腕をまっすぐ伸ばします。おしりを上げて、背中をまっすぐにしてキープします。

※体幹トレーニングは、バランストレーニング（P54-55）と組み合わせて行うとより効果的です。

ポイント お腹の内側の筋肉（インナーマッスル）をきたえ、踊りの基礎となる姿勢やバランス力を強化する！

12 体をバラバラに動かす アイソレーションをする

難易度　★★☆

体のパーツをバラバラに動かすアイソレーションは、日ごろからくり返し練習し続けることが大切です。

Step 1　体の一部分だけを動かすアイソレーション

アイソレーションは、体の一部分を動かす、ダンスの基本となる体の使い方です。練習をする際には、首、胸、腰、腕のウェーブなど、体の部位ごとに練習していきます。動かしたい場所に意識を向けながら、他の部位が動かないように止めておくことも大切です。最初は上手く動かせなくても、くり返し訓練を積むことで、しだいに動かせるようになっていきます。

胸の筋肉を動かすポッピングも横隔膜を使うと、より動きが大きくできる。

Step 2 体を自由自在に動かせるようになろう

　体の様々な部位でアイソレーションの練習をすれば、体をイメージ通りに動かせるようになります。代表的なアイソレーションを紹介します。

首のアイソレーション
首をまっすぐ伸ばして、前後に動かす。その後、左右にも動かす。

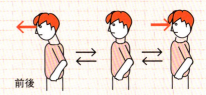

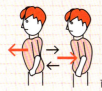

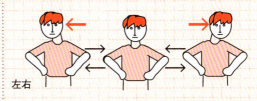

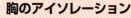

胸のアイソレーション
胸を前後に動かす。このとき肩は動かないようにする。その後、左右に動かす。最後に胸を回す。

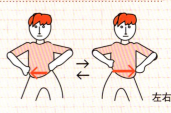

腰のアイソレーション
腰を前後に動かす。その後、左右に動かす。最後に腰を回す。

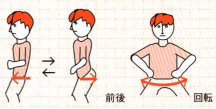

※アイソレーションは、呼吸トレーニング（P56-57）と組み合わせて行うとより効果的です。

体のパーツがコントロールできるようになり、繊細な表現ができるようになる！

13
ビートに合わせて体を動かし
リズムトレーニングをする

難易度　★★☆

日本人は特に、リズムにのって踊ることに慣れていない人も多いため、リズムトレーニングが欠かせません。日々のトレーニングとして行いましょう。

Step 1　ダンスのリズムの基本は「8カウント」

ダンスのリズムは、「ワン・ツー・スリー・フォー・ファイブ・シックス・セブン・エイト」という8カウント（ワンエイト）がひとつのまとまりとしてよく使われます。

8カウントを2回行うと「ツーエイト」、4回なら「フォーエイト」となる。

Step 2 「オンカウント」と「エンカウント」のリズムを知ろう

「ワン ツー スリー フォー」の8カウントを、さらに細かいリズムにするには、数字の間に＆（エン※）をいれてカウントします。「ワン＆ツー＆スリー＆……」という具合です。「ワン ツー……」の部分はオンカウント（表）、「＆」の部分はエンカウント（裏）などと呼ばれます。

※and（アンド）のこと。

Step 3 アップとダウンの練習でリズム感をきたえる

リズムをとるためのカウントは、音楽の中のドラムやハイハットなどの音（ビート）でとります。このビートに合わせて、体を動かすのが、リズムトレーニングです。オンカウントで体を下げるダウンのリズムと、オンカウントで体を上げるアップのリズムで体を動かしてみましょう。

オンカウントのダウンとアップのリズム

   &＆　ワン　＆　ツー　＆　スリー　＆　フォー　＆ファイブ＆シックス＆　セブン　＆　エイト　＆

ダウンのリズム

アップ ダウン アップ ダウン アップ ダウン アップ ダウン アップ ダウン アップ ダウン アップ ダウン アップ ダウン アップ

アップのリズム

ダウン アップ ダウン アップ ダウン アップ ダウン アップ ダウン アップ ダウン アップ ダウン アップ ダウン アップ ダウン

毎日のリズムトレーニングを通して、ダンスの基本である、リズム感をきたえる！

14 リズムに乗って足を動かし ステップの練習をする

難易度 ★★☆

音楽のリズムにのれるようになってきたら、そのリズムに合わせて足を動かすステップを行いましょう。

Step 1 ステップ

ストリートダンスには、基本的な足の動かし方（ステップ）があります。まずは基本のステップを通して、リズムにのって動いたり、ダンスの踊り方をマスターしましょう。慣れてきたら、基本のステップをアレンジしたり、オリジナルのステップを作ったりすることもできます。

Step 2 ステップを学ぶ際のポイント

好きな音楽をかけて、リズムをとりながら、ステップの練習をしていきましょう。基本のステップを覚えることで、ダンスの表現が広がっていきます。ステップは、ダンスジャンルによって、同じ名前でも動きが異なることがあります。

サイドステップ（ダウン） 左右に踏み出すステップ。ツーステップともいう。

最初にもどる
（2回目は左へ動く）

ボックス（ダウン） ひし形の角を踏むように動く基本のステップ。

最初にもどる
（逆回りもやってみよう）

ランニングマン（ダウン） 走るように足を入れ替えていくステップ。

最初にもどる

ポイント 様々なステップを身につけることで、踊りの基本の動きをマスターする！

15 ステップをつなげて踊る ルーティーンの練習をする

難易度 ★★☆

ステップをつなぎ合わせたものがルーティーンです。気に入った曲に合わせて、覚えたステップをつなげたルーティンを踊ってみましょう。

Step 1 ルーティーンで基本ステップを練習

基本の動きを一連の流れとして組み立てた踊りをルーティンといいます。基本の動きがしっかりとできるようになってきたら、音楽をかけながら、ルーティーンを練習の中に組み込みましょう。ステップとステップをつなぎ合わせて、曲を通しで踊るための第一歩となります。ある動作から次の動作へ流れるように踊りながら、基本の動きに磨きをかけていきましょう。

Step 2 基本のステップをつなげて踊ってみよう！

　1曲を通しで踊る前に、まずは8カウントを、自分の知っているステップをつなげて踊ってみましょう。ダンスをむずかしく考えすぎず、最初のうちは手拍子などを混ぜて、リズムにのるだけでもOKです。曲の終わりには、ポーズをとってきめるなど、途中で間違っても気にせずに最後まで踊り切る習慣をつけておきましょう。

ステップをつなげて踊る（8カウントの例）

ボックス（4カウント）

| & | ワン | & | ツー | & | スリー | & | フォー | & |

サイドステップ（2カウント）　➡　**ランニングマン**（2カウント）　➡　**ポーズ**

ファイブ　　&　シックス　　&　　セブン　　&　　エイト　& ポーズ

　シックスの後の＆（エン）は、サイドステップからランニングマンに切り替えます。最後は好きなポーズをとります。

 複数のステップを流れるように踊る感覚を身に着ける！

16 クールダウンには静的ストレッチでケガ予防！

難易度　★☆☆

クールダウンでは、静止した状態で筋肉をゆっくりと伸ばしてリラックスさせる静的ストレッチを行うのがおすすめです。

Step 1　静的ストレッチの効果とは？

練習前のウォーミングアップにおすすめの動的なストレッチに対して、練習後のクールダウンにおすすめなのが静的ストレッチです。静的ストレッチとは、静止した状態で、筋肉を伸ばせる限界までゆっくりと伸ばしていくストレッチ。運動後のクールダウンとして行うことで、心身をリラックスさせることができ、筋肉痛をやわらげる効果があるともいわれています。

Step 2 静的ストレッチをやってみよう

静的ストレッチは、関節が動く限界までゆっくりと筋肉を伸ばして、30秒ほどキープしましょう。首、肩、腕、太ももの前後などを中心に伸ばします。靴を脱いで、リラックスして行うのもおすすめです。

首 ゆっくり前後左右に動かし、最後は回す。	**肩** しっかりと背筋と肩（肩甲骨）を伸ばす。	**腕** 腕から肩甲骨までを意識して伸ばす。	**太もも前** 体を後ろに倒しながら太もも前を伸ばす。	**太もも後ろ** ゆっくりと前屈をして、太もも後ろを伸ばす。

応用編

ストレッチポールを使って肩甲骨の可動域を広げる

ストレッチポールに横たわり、腕を床におろして回転させます（左）。さらに、両手をまっすぐ伸ばして、肩甲骨を意識して上下に動かします（右）。腕を大きく動かせるようになります。練習の前後などに取り組んでみましょう。

 ポイント 静的ストレッチで体をメンテナンスして、ケガをしにくい体にする！

17 いろいろなダンスに挑戦し、表現力をアップする！

難易度　★★☆

ひとつのダンスジャンルにとどまらず、他のダンスジャンルを知ることで、ダンスの世界が広がっていきます。

Step 1　ダンスの種類で踊り方が変わる

　今取り組んでいるダンスをある程度マスターしたら、ぜひ別のジャンルのダンスにも取り組んでみてください。ストリートダンスの中だけでも、実に多くのダンスのジャンルがあります。それぞれに特有のステップがあったり、独特の身体の使い方をしたり、曲のリズムが変化したりします。他のジャンルのダンスを知ることは、自分が取り組んでいるダンスとの違いを知ることになり、それぞれのダンスへの理解が深くなります。

Step 2　いろいろなダンスを組み合わせてみよう

　ストリートダンスは実に幅広いダンスジャンルがあります。たとえば、ポップダンスから発生したアニメーションダンスは、まさに漫画やアニメのような動きをする不思議なダンス。パラパラ漫画のように動いてみたり、スローモーションのように動いたり、いろいろな動きを取り入れて組み合わせてみましょう。

　格闘技でもあるカポエラや中国武術、縄跳びを使うダブルダッチや体操競技のアクロバットなど、多様なジャンルからインスピレーションを受けてダンスの中に取り入れることにも挑戦してみましょう。

Step 3　新しいダンスにも注目！

　ダンスシーンは常に新たな踊りが生まれ進化し続けています。例えばヒップホップの中の1ジャンルとして、ガールズヒップホップやヒップホップジャズなどのジャンルもあります。ヒップホップをベースにしながら、独特の進化をとげています。常に新しいダンスをチェックすることも忘れないようにしましょう。

real voice

私たちの部では、基本はヒップホップに取り組んでいますが、月曜日はジャズダンスに取り組んでいます。大会で踊るダンスの振り付けにも、ヒップホップをベースにしながら、ジャズダンスの要素を組み入れることで、自分たちならではの強みにしようとしています。

ポイント　様々なダンスの表現を身につけることで、踊りの幅や理解の深さが変わる。

第1章　基本練習で基礎づくり

18 日々の課題を明確にする ダンスノートを書こう

難易度 ★★☆

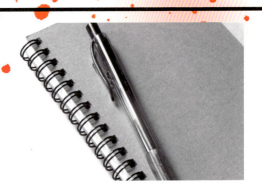

ダンスノートを利用することで、日々の練習効果をアップさせたり、今の自分の課題を明確にしたりしながら、ステップアップを目指しましょう。

Step 1 ダンスノートを通して日々の練習を振り返る

ダンスノートを書く目的は、日々の練習を振り返ることにあります。勉強でも復習をすることで、記憶に残りやすくなります。また、ノートに自分やチームの弱点を書き込むことで、次の練習で取り組むべき課題が明確になっていきます。

一流のスポーツ選手の中にも、日々のスポーツノート（練習ノート）を書くことで、夢を勝ち取った選手がたくさんいることでも知られています。

その日の練習内容や課題などを、ダンスノート（部に一冊）を通して、部全体で共有しているケースも。

Step2 ダンスノートの書き方例

第1章 基本練習で基礎づくり

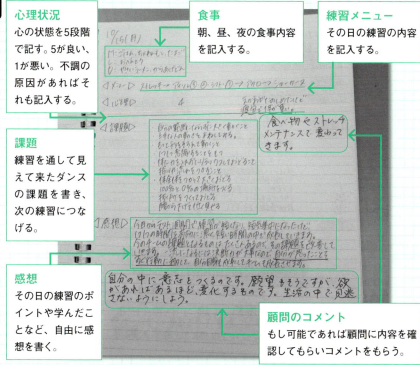

心理状況
心の状態を5段階で記す。5が良い、1が悪い。不調の原因があればそれも記入する。

食事
朝、昼、夜の食事内容を記入する。

練習メニュー
その日の練習の内容を記入する。

課題
練習を通して見えて来たダンスの課題を書き、次の練習につなげる。

感想
その日の練習のポイントや学んだことなど、自由に感想を書く。

顧問のコメント
もし可能であれば顧問に内容を確認してもらいコメントをもらう。

ダンスノートの一例（個人で一冊）

基本は、練習メニューや、そこから見えて来た課題を書くことです。食事のメニューを書きこむことで、日々の食生活への意識も芽生えます。心理状態に触れることで、モチベーションやメンタルの状況も把握することができます。また、ノートを仲間と見せ合うことで、多くの発見をすることができます。

real voice

私たちのダンス部では、顧問とダンスリーダーとが、ダンスノートで情報交換をしています。顧問が忙しく参加できないときや、出張などのときも、練習の進行具合や課題などを共有することができています。

ポイント ダンスノートを作って、日々の練習効果を上げて、大きな夢を実現させる！

19 筋トレ&持久力アップで力強い踊りをする

難易度 ★★☆

ダンスを力強く踊ったり、アクロバティックな動きを取り入れたりする必要があるときは、筋力トレーニングも取り入れていきましょう。

Step 1 筋トレの効果

ダンスに力強さが不足する場合や、メリハリをつけたり、激しい動きの振り付けを加えたりしたいときなどには、筋力トレーニングを導入しましょう。また、ダンスの後半になるにしたがって勢いがなくなる場合は、持久力が不足しがちなため、踊り込みを強化したり、ランニングなどの練習も検討しましょう。

real voice

うちのダンス部のメンバーは、線の細い子が多いため、基本の練習メニューに加えて、筋トレを追加しています。体幹トレーニングの中に、腕立て伏せや腹筋、逆立ちを取り入れて、ダンスの中に力強さを出せるようになることを目指しています。

ポイント 筋力と持久力をアップさせ、踊りの最後まで、力強い動きを実現する!

一歩上の踊りを目指す人のための
ダンスの身体をつくる4つのトレーニング

ダンスの独特の身体の使い方をマスターするために、次の4つのポイントが大切です。それぞれのトレーニング方法を紹介します。

脱力
身体の余分な力を抜いて軽やかに動けるようにしよう。

バランス
自分のくせを知り、身体のバランスを整えよう。

呼吸
呼吸を意識して、特殊な身体の動きを身に着けよう。

体軸（たいじく）
身体の中心にある体軸を意識して、パフォーマンスを向上させよう。

脱力トレーニング

身体の力を抜いて
軽やかに踊る

　「なかなかダンスが上達しない」という人にありがちなのが、「脱力」が上手くできないことに理由があるケースです。「脱力」は、ただダラーっと力を入れない状態ではなく、身体から余分な力を抜くことです。音楽にのって身体を動かすとき、身体に力が入りすぎると、どうしてもぎこちない動きになってしまいます。また、下半身で力強いステップを踏みながら、上半身では脱力しているなど、身体の部位ごとに異なる筋肉の使い方を覚えましょう。

脱力チェック！

ギュッと全身に力をいれたパワー100％の状態から、息をゆっくりと吐きながら、全身の力を抜いていきましょう。パワー0％の脱力状態を体感することを目指しましょう。

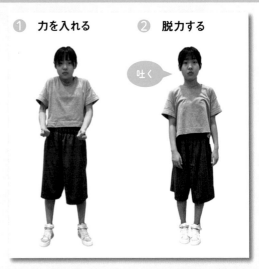

力を入れる時は、ギュッと手を握りしめて、全身の筋肉に力を入れる。脱力するときは、手を開いて、全身の筋肉をゆるめる。

トレーニング01　上半身と下半身の脱力

通常のダンスを、力強く踊るのと、脱力を組み合わせて軽やかに踊るのとでは、ダンスの印象は大きく変わります。「上半身だけ脱力して踊る」「下半身だけ脱力して踊る」など、脱力させる部分を変えてみてどのように動きに変化があるのか感じたり、観察したりしてみましょう。目を閉じた状態で踊ってみて身体の力みや脱力を感じてみるのも一つの方法です。

通常のダンス

上半身だけ脱力

目を閉じて下半身だけ脱力

脱力を取り入れることで、「軽やかさ」や「軽快さ」を表現できる。

トレーニング02　脱力をコントロールしよう

全身の力を完全に抜いたパワー0％の脱力と、全身の筋肉を力ませたパワー100％の状態の間には、パワー50％の脱力、30％の脱力など、いくつもの段階があります。いろいろな段階の脱力の状態で、ダンス表現をしてみましょう。

脱力パラメーター

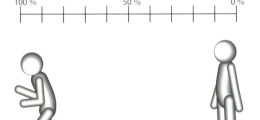

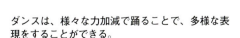

ダンスは、様々な力加減で踊ることで、多様な表現をすることができる。

バランストレーニング

身体のバランスを整えて安定した踊りを続ける

　体のバランスが崩れていると、左右均等に踊れなかったり、決めポーズがキープできなかったり、ターンやジャンプでふらついてしまったり、ダンスの質に影響が出てきます。その原因は、日常生活の姿勢、長年の自分のクセのある踊り方など、様々な理由があります。まずは、自分が正しくバランスを取れているかをチェックしましょう。そして、上手くバランスがとれていなければ、バランスを調整＆強化するためのトレーニングを行いましょう。

バランスチェック！

片足バランス屈伸

①の姿勢から、そのまましゃがみこみ②の姿勢になります。再び立ち上がり、①の姿勢に戻ります。左右の足で行いましょう。左右の足でチェック項目を確認したら、弱い部分を重点的にトレーニングしましょう。

※①のポーズがとれないときは足を持たずに片足屈伸をしましょう。

悪い例
- 重心が後ろにいき倒れる ✗NG
- かかとが浮きすぎ ✗NG

足首が硬いと、重心が後ろにいったり、かかとが浮きすぎたりしてしまいます。

チェック項目
- □ ①のポーズがとれない　→脚力が弱くバランスが取れない、脚裏の柔軟性がない
- □ ②の姿勢になれない　→脚の筋力不足、足首の柔軟性がない
- □ ②から①に戻れない　→下半身の筋力不足
- □ ②の姿勢をとるとき後ろや左右に倒れる　→足首の柔軟性がない

トレーニング 01
バランス力を養おう！

片足バランス屈伸が難しいときは、次のような姿勢をとって、まずバランス力を養いましょう。足首が硬くて姿勢がとれないときは、トレーニング03から行いましょう。

膝をついて足を伸ばす　　足の裏を床につけて止まる

姿勢をとるのが難しいときは、ものにつかまったり、支えてもらったりしながら行う。

トレーニング 02
筋力バランスを強化＆調整

左右の筋力にバラつきがあるときは、片足バランス屈伸を、片足をもってもらいながら取り組みましょう。弱い方の足のトレーニングをより強化していきましょう。

❶　　❷

サポート役は、倒れないように足を支えながら、一緒に上下していく。

トレーニング 03
足首の柔軟性をつけよう

片足バランス屈伸を、腰を支えてもらいながら取り組みます。足首やアキレス腱の柔軟性を高めていくこを意識しながら行いましょう。

❶　　❷

サポート役は、後ろや横に倒れないように支えていく。

応用
2人でやってみよう

片足バランス屈伸の動きに馴れてきたら、手をつないで2人で取り組んでみましょう。1人で行うよりも、バランスをとるのがさらに難しくなります。

手をつないで、息を合わせて上下に屈伸していく。

呼吸トレーニング

呼吸を意識することで身体の動きにはばを持たせる

　意外に見落とされがちなのが、ダンスにおける「呼吸」です。呼吸と身体の動きを一致させることで、より高度な身体操作が可能となり、ダンスの技術に応用することができます。また、身体のパーツをバラバラにする動き「アイソレーション※」(P36 参照) と呼吸を組み合わせることで、緩急や強弱をつけることができるようになります。筋肉をはじくような動きをする「ポッピング」なども、呼吸をうまく組み合わせることで、メリハリが出てきます。「呼吸」は、ダンスの様々な動きや質に変化を及ぼします。

呼吸チェック！

呼吸は、吸うときに横隔膜が下がり、吐くときに横隔膜が上がります。このような身体の内側の動きを意識して、呼吸をしてみましょう。ここに、実際のダンスの動きや技術を取り入れていきましょう。

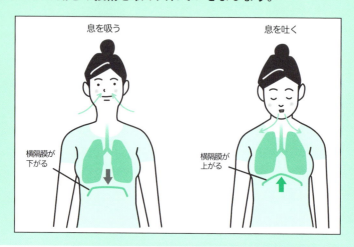

トレーニング 01　呼吸と身体の動きを意識してみよう！

まずは、息を吸うときに胸を前に突き出し、息を吐くときに胸を凹ませ、胸のアイソレーションをしてみましょう。さらに、腹のアイソレーションや、胸から腹にかけてのウェーブをするなど、いろいろなアイソレーションを呼吸を意識して取り組んでみましょう。

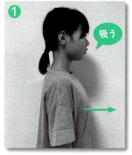

悪い例

①息を吸いながら胸を大きくふくらませることにで、より大きく動かすことができる。②息を吐きながら胸を凹ませるようにすると、より大きく凹ませることができる。

胸をふくらませようとして体軸が前に傾いていると、呼吸が思うようにできなくなるので注意。

トレーニング 02　ポッピングの基礎をやしなう

独特の動きをする胸のポッピング（ヒット）を、呼吸の動き（吸う・止める・吐く）を意識しながら、練習してみましょう。まずは胸の動きからはいって、徐々に全身の動きやステップと連動させていきましょう。

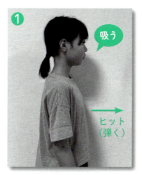

❶息を一瞬で吸って、胸を突き出すように弾く。❷息を止める。❸息を一瞬で吐いて、胸を凹ませるように弾く。

体軸トレーニング

体軸を整えて思い通りに身体を動かす

「体軸」とは、身体の中心をとおっている軸の"身体意識"のことです。体軸がずれていると、安定した動きや力強い動きがしづらく、パフォーマンスが低下してしまいます。また、見た目の姿勢も美しく見えません。自分が思い描いたダンス表現をするには不可欠な存在です。「体軸」を整え、しっかり使えるようになりましょう。

体軸チェック！

体軸は、頭のてっぺんから、おしりの穴の少し前（会陰）をとおり、くるぶしの直下をとおる身体意識のこと。まずは、まっすぐ直立したときの体軸を、足の裏の感覚とともに、意識してみましょう。

●は軸のとおる位置

左右の足裏全体で軸を支える感覚。左右のどちらかに重心がある場合は、体軸がずれている。

トレーニング

直立した姿勢のまま、前後、左右、回転の動きで重心を変えながら、身体の軸を意識してみましょう。

左右へ動かす

足裏の左右の端で軸を支える感覚。

前後へ動かす

足裏の前後で軸を支える感覚。

回転する

足裏の前後左右で軸を支える感覚。

チーム力をアップするために

20 メンバーの意見を聞きながら年間スケジュールを決める

難易度　★☆☆

たくさんのダンスの大会やイベントがある中で、どこに出場するかなど年間の予定を決めて、その目標に向けてチーム一丸となって進んでいきましょう。

Step 1　参加する行事や目指す大会を決めよう

年間で参加する行事や、出場する大会など、おおまかなスケジュールを決めましょう。その次に、翌年の大会に向けて、新しい振り付けを学ぶ時期や合宿、練習期間の予定を定めましょう。

年間スケジュールの一例

4月	5月	6月	7月	8月	9月
新入生歓迎会	体育祭	イベント参加	合宿夏の大会	夏の全国大会	文化祭選抜

10月	11月	12月	1月	2月	3月
振り付け	イベント参加	冬の大会（バトル）	イベント参加	ワークショップ	春の大会（新人戦）

Step 2　週・月の予定を組み立てる

　学校内の他の部活と調整しながら、練習日を設定していきましょう。週ごとの練習日を基本としながら、練習の習得度などをふまえて、月の予定を微調整していきます。地域のイベントなどへの出演依頼があれば、できるだけ参加しましょう。

週・月のスケジュールの一例

月	火	水	木	金	土	日
練習・ミーティング		練習		練習	練習	
練習		練習		練習	練習	
練習		練習		練習	ワークショップ	
練習		練習		練習	練習	イベント参加

Step 3　生徒たちで話し合って決めよう

　たくさん大会に出てステージに慣れるのか、もしくは、じっくりと練習に時間をつかって厳選した大会に出るのかなど、年間のスケジュールの調整は、できれば部のメンバーの意向を聞き取りながら決めていきましょう。自分たちで決めることで、大会への意気込みや責任感、練習の取り組み姿勢などが変わってきます。

real voice

うちの部では、できるだけ年間計画は、全員参加で決めています。とにかく大会にたくさんで出て場慣れをしながら技術をみがこうという年もあれば、日々の練習で技術をじっくりみがいて目標の大会に絞って出場しようという年もあります。そのため、その年のメンバーの話し合いによって、出場する大会や出場数は大幅に変わります。

出場する大会を設定し、そこに向けて練習メニューを組み立てていく!

21 部員の**役割分担**を決めて責任感を持たせる

難易度 ★★☆

部活の運営は、どうしても部長や副部長などの中心メンバーに負担が集中してしまいがちです。役割分担をすることで、それぞれの担当分野で、力を発揮できる体制を目指しましょう。

Step 1 部活のまとめ役と、練習の進行役を分ける

　ダンス部の役割の中で、特に大変なのが、部のまとめ役である部長や、その補佐をする副部長です。部長や副部長が、練習メニューを考えたり、練習の進行役となっている部も多いかもしれませんが、できれば「ダンスリーダー」などの役職を新たに作って、練習の運営をまかせることをおすすめします。メンバーの中でダンスの技術が高い人が、ダンスリーダーについたりすることで、部長や副部長が、部活の運営などに集中することができます。

Step 2 いろいろな役職を作ろう

部長や副部長、ダンスリーダーのほかにも、2年、1年のまとめ役である学年部長を設けているところもあります。顧問やコーチが行っている細々とした仕事も部員にふり分けましょう。何かしらの役目を与えられると、それぞれに責任感が芽生えてきます。

部員のダンスノートを集めるノート係。

美化係のチェックで、カバンも美しく並ぶ。

部活の中心メンバーの役割

部長
チーム全体のまとめ役。リーダーシップが求められる。

副部長
部長をサポートしながら、チーム全体をまとめる。

ダンスリーダー
練習メニューを顧問やコーチとともに考え、日々の練習をリードする。

学年部長 (2年、1年)
2年、1年のそれぞれに配置。各学年のまとめ役として部長、副部長をサポート。

Tシャツ係は、メンバーにデザイン案を提案し、予算を検討し、注文をする。

real voice

うちの部活では、すべての部員が何らかの係に任命されています。部長、副部長、ダンスリーダーの他、書記係、イベント係、舞台係、会計係、ノート係、衣装係、レクリエーション係、美化係など役職があります。

ポイント 役割を作ることで、一人に負担を集中させず、全員が部活の運営にかかわれるようにする!

22 メンター制を導入して部活内の実力差をなくす

難易度　★★☆

全体練習だけを行っていると、どうしても実力差が出てきます。1対1などの少人数のチーム練習で実力差を埋めていきましょう。

Step 1　人に教えることは、最大の学び

　部活内の学年間の問題として、例えば、指導をする3年生と教えてもらう1年生が仲良くなり、中間の2年生が孤立するというケースがあったとします。そのような問題の解決方法として、2年生が1年生を教育するというメンター制度があります。できればマンツーマン（1対1）指導体制にします。2年生はついこの間までは1年生だったため、1年生の気持ちを汲み取って、親身に指導できます。1対1の指導体制は、その人に合った親身な指導ができるため、全体の実力差を縮めることにもつながります。

Step 2　練習への集中力やモチベーションアップに！

メンター制度があることで、1年生も2年生になったときに、教える立場になります。1年の時点から、翌年は教える立場になると意識させておくことで、日々の練習に集中して取り組み、吸収力がアップします。2年生も人に教えることで、深い理解のもとで技術力がアップしていきます。

Step 3　自由に意見を言い合える関係性を作る

振り付けの練習などでは、メンターとなった2年生と、1年生のコンビで交互に行い、お互いの動きをチェックしていきます。1年生も2年生の動きを見て、指摘をしなくてはならないこともあります。遠慮することなく、思ったことを自由に言い合える雰囲気を作ることが部活を強くすることにつながっていきます。そのような部の伝統や風土を作り、後輩へ伝えていきましょう。

real voice

私たちの部活では、2年生が1年生に基本的な技術などを教えますが、その際に、性格や技術などを考慮しながらメンター制度の組み合わせを考えます。さらに、2年生がしっかり1年生に指導できているかを、3年生がチェックする体制をしいています。その結果、1、2、3年生がそれぞれ交流できています。

後輩は身近な先輩から多くの学びを得る。先輩は後輩に教えることで学ぶ。

23 ダンスバトルの練習をして個々をレベルアップする

難易度 ★★☆

ダンスバトルを練習に取り入れることで、踊る楽しさを感じながら、お互いのダンスの技術や表現力をみがき合いましょう。

Step 1 少人数バトルで自由に踊る

1対1のバトル練習

慣れてきたら対戦相手を変えてみよう。

まずは1対1でバトルをしてみましょう。ソロで踊ったり、これまで披露したことのないダンスジャンルで踊ったり、いろいろなことに挑戦してみましょう。相手のダンスを受けて、こちらの得意のダンスで返したり、相手のダンスジャンルと同じものでこちらも返したりするなど、バトルの感覚をみがきましょう。いろいろな相手と取り組むことで、ダンスバトルにおける駆け引きや、ダンスの表現力を養うことができます。

Step 2　複数人でフリースタイルで踊り合う

3対3のバトル形式や、部員が輪を作って順番に輪の中心でダンスをする形式などでも踊ってみましょう。一人で踊ってもよいし、複数人でユニゾンなどをしてもよいでしょう。みんなの前で自由にダンスを披露することで、ダンスの楽しさを感じたり、本番でも尻込みしない度胸をつけたりすることができます。

チーム戦
チームで息を合わせながら、ダンスバトルを楽しむ。

大勢で踊る
踊った人が次に踊る人を指名し、チェンジしていく。

Step 3　部内でダンスバトル大会を開催

バトル形式の大会（P118参照）に出場する場合はもちろん、そうでなくても、練習にダンスバトルを取り入れることはお互いの技術をみがくのにうってつけです。特におすすめなのが、部内でダンスバトルの大会を開催すること。部員同士でダンスの技術を競い合うことで、全体のレベルアップを図ることができます。

real voice

月に1回バトルの大会を部内で開催し、その順位に応じてポイントをつけています。部員が整列するときの順番は、そのポイントで決めています。夏の合宿では、1年間のしめくくりとしてファイナルとなるバトル大会で王者を決めています。

ポイント　全員で踊りの楽しさを感じながら、表現力をみがく！

24 ミーティングを通して チームの団結力をUP

難易度 ★★☆

ミーティングは、部活を運営するうえでとても大切な取り組み。ミーティングを通して全員の意識をひとつにして、ダンスレベル向上のためにできることを話し合い、抱えている問題を解決していきましょう。

Step 1 生徒が主体となるミーティングを目指す

　ミーティングの悪い例としては、顧問やコーチだけが一方的にしゃべったり、部長などだけが意見を述べたりするケースがあります。いきなりはむずかしいかもしれないですが、できるだけいろいろなメンバーが参加するミーティングが理想的です。顧問や部長だのみの部は、何かのきっかけでキーマンが抜ければ、すぐに士気が下がってしまいます。生徒一人ひとりが考えて、部活をよりよくするための意見が活発に出るのが本当にチームワークの良い部活といえます。

Step 2　できるだけ多くのメンバーに意見を言わせる

　最初はなかなか意見が言えない生徒もいるかもしれませんが、少しずつ慣らしていくことが大切。順番に他の生徒に意見を出してもらったり、小グループで意見をまとめたり、自由な発言をしやすい雰囲気を作りましょう。最初のうちは、「意見カード」を作って、無記名で投票するなどの方法も良いでしょう。意見が出ることが大切で、出された意見をすぐに否定しないようにしましょう。

Step 3　目的をもったミーティングをする

　ミーティングをする際には、最終的に何を決めたいのか目的を明確にして取り組むことが大切。ミーティングの種類は、次のようなものがあります。それぞれの目的に合わせて進行していきましょう。

定例ミーティング
　月1回など定期的に行う。部活の方針やスケジュールの確認、そのときの課題について話し合う。

スケジュール・ミーティング
　部活として出場する大会や練習回数など、週・月・年のスケジュールを決めるために行う。

練習ミーティング
　練習の前、途中、後などに、練習の効果アップの目的のために、その日の練習課題や達成度、反省を行う。

作品ミーティング
　コンテストやショーケースに向けての作品のテーマや曲、衣装、振り付けなどを話し合って決めるのが目的。

real voice

コンテストに参加した後は、必ず反省ミーティングを行っています。そこに出場した全員が円陣になって一人ひとりがコメントをしていきます。そのコメントから、自分たちに今足りていないもの、これからの作品づくり、練習の方向性などを考えています。

部員みんなが参加できるミーティングが、本当に強いチーム力を作る。

25 ステップアップのために 外部指導者を探す

難易度 ★★☆

ダンスの専門的な技術を持つ外部指導者に来てもらうことで、これまで取り組んできたダンスとは別のジャンルのダンスを学ぶことができたり、ダンスの技術的なレベルを高めることができたり、様々なレベルアップが期待できます。

Step 1 伸び悩みを感じたら外部講師を検討する

　ダンス部は、顧問がダンス経験者ではない場合もあり、ダンス経験者である生徒や部活のOBが指導を行っていたり、現状は様々です。指導者がいない場合でも、自分たちで工夫したり、生徒同士で話し合ったりしながらダンスを学んでいく過程はとても貴重な体験です。しかし同時に技術面では、どうしても超えられない壁にぶつかることがあります。もうひと段階レベルアップを図りたい場合は、外部指導者に来てもらうことも検討してみましょう。

Step 2　外部指導者はどうやって探す？

外部指導者を探すには、まずは部活の顧問に相談してみましょう。学校側で探してくれたり、求人を出してくれたりする可能性もあります。あるいは、ダンススクールやOBの知り合いなど、人づてに探していく方法もあります。また、自分たちのやりたいダンスのジャンルがあるならば、その指導ができる外部指導者を探しましょう。

さらに、外部指導者は、ダンスの指導だけでなく、ダンスの振り付けも行ってくれる場合もあります。指導を依頼するときに、確認してみましょう。

Step 3　外部指導者への謝礼はどうするの？

外部指導者に指導を依頼する場合は、謝礼がかかることもあります。その費用は、学校がまかなってくれることもあります。顧問や保護者と相談しながら考えていきましょう。

場合によっては、「部活動指導員」として、外部から専門の技術をもった指導者を、学校が正式に招くケースもあります。部活動指導員は、学校の先生と連携しながら、顧問という立場で部活の運営を行うことができます。

部活動指導員とは？
2017年4月から学校教育法に基づいて「学校職員」として正式に位置づけられている。学校の先生ではなくても、部活動指導員になれば、部活の実技指導はもちろん、顧問としてかかわることができる。各種大会やコンテストに引率することもできる。

休日の部活が学校でできなくなる？
これまで学校で行っていた部活の取り組みを、地域のスポーツクラブやダンス教室などの取り組みに変えていく動きがあります。2023年度から、公立中学校の休日の部活動は、段階的に地域での活動に変っていきます。

real voice

東京都立の高校ですが、「部活動指導員」として学校が指導料を時給と交通費を支払う形で、OB・OGのダンス経験者に来てもらっています。1回あたりの活動時間2時間程度で週数回指導してもらっています。顧問の負担も大きく軽減しています。

> **ポイント**　レベルの高い指導で、超えられない壁を超え、大幅なスキルアップを目指す。

26 ステップをアレンジして簡単な**振り付け**を作る

難易度 ★★☆

振り付けは、あまりむずかしく考え過ぎず、まずは知っているステップやテクニックをつなげて踊るところから始めてみましょう。

Step 1 ワンエイトの振り付けを作って踊り合う

まず振り付けの導入としは、ワンエイト（「ワン・ツー・スリー・フォー・ファイブ・シックス・セブン・エイト」）の8カウントで振り付けを考えてみましょう。最初は、知っているステップをつなげるだけでもかまいません。足でリズムをとって手拍子をするなど、簡単な動きを取り入れるのも良いでしょう。少しずつアレンジを加えたり、新しい動きを加えたりして、オリジナリティーをプラスしていきましょう。

タンタン
タンタン

Step 2　ダンスの動画を参考にする

今はYouTubeやTikTokなどの動画サイトで、世界中の様々なダンスを見ることができます。まずは自分たちのダンスジャンルに、どんなステップや踊り方があるのかを知りましょう。そして、最初は真似したり、動きをアレンジしたりするところから始めてみましょう。

Step 3　曲の歌詞から振り付けを考える

曲の歌詞から振り付けを考えるのもおすすめです。有名なダンス曲やポップミュージックなど、振り付けをする曲はどんな曲でもかまいません。どうしても振り付けが思い浮かばないという人は、好きなアーティストのMV（ミュージックビデオ）を完コピしてみたり、SNSなどの「踊ってみた」動画を参考にしたりして、振り付けを考えてみましょう。

real voice

それぞれがお気に入りのワンエイトの振り付けを考えてきて披露し合い、その良い部分をつなぎ合わせて、ひとつの振り付けにするという方法を取っています。全員で考えることで、ダンスの取り組み方にも一体感が生まれます。

まずは真似から入って、いろいろな振り付けを参考にしながら、振り付けを学ぼう！

第2章　チーム力をアップするために

27 展開を工夫しながら迫力ある振り付けを作る

難易度 ★★☆

振り付けをする際は、全体の展開を意識しながら作ることが大切。見ている人に、踊りを通してしっかりとメッセージを伝えられる流れを意識しましょう。

Step 1 「はじめ」「なか」「おわり」の変化をつける

　ストーリーの構成は「はじめ」「なか」「おわり」で構成されます。まずこちらの目的（伝えたいこと）を核にして、大まかにストーリーを考えて、その上で起承転結や見せ場などを細かく決めていきましょう。

　特に気を付けなくてはならないのは、それぞれの踊りの動作には意味があり、その動作を通して最終的な目的に近づくということです。その目的に近づく一本の線を「集中線」と呼びます。集中線にそって動作が進まず線から外れたり上下してしまうと、見ている方からは「内容がわからない」「テーマは何？」といった具合に、ストーリーが伝わりにくくなってしまいます。

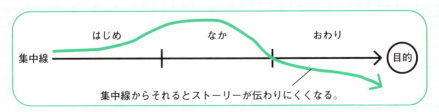

集中線からそれるとストーリーが伝わりにくくなる。

Step 2　盛り上がりを考えた展開にする

　自分達の作品の見せ場をどこにもってくるかはとても大切で、作品の良し悪しの決め手となることも少なくありません。特に見せ場を出すタイミングが重要で早すぎても遅すぎてもダメ。その作品の中で「ここだ!!」というタイミングが必ずあります。

　ポイントは見ている人が飽きてくる手前。「長いな〜」と感じる、まさにその瞬間です。タイミングがぴったり合うと、見ている人に衝撃を与えることができます。小さな見せ場や大きな見せ場などを入れるタイミングをいろいろと変えて、どこが一番インパクトを与えられるか研究してみましょう。

Step 3　ワンパターンにならない振り付けを目指すには

　振り付けの引き出しを広げるには、ジャンルにとらわれずにいろいろなジャンルのダンスから動きをアクセントとして取り入れてみたり、小物を使ってみたり、いろいろな工夫をしてみましょう。さらにダンス以外のジャンルや作品（映画や演劇など）、日常生活にある様々なものがヒントとなり得ます。普段身の回りにあるものからインスピレーションをもらいましょう。

ポイント　振り付けの展開を工夫しながら、観客の心を魅了する見せ場を作る!

28
基本の振り付けに
フォーメーションをつける

難易度 ★★☆

ダンスは、フォーメーションを動かすことで動きに変化が生まれます。フォーメーションで、ダンスの見え方を工夫していきましょう。

Step 1 フォーメーションの考え方

フォーメーションは作品に躍動感を出すために必要不可欠です。フォーメーションは踊る位置・形・動きなどいろいろな要素があります。特に広い会場ではフォーメーションがないと平面的な作品に見えてしまいがちです。前後左右上下にいるすべてのお客さんに、どの角度からみても素晴らしい作品に見えるようにフォーメーションを考えていく必要があります。

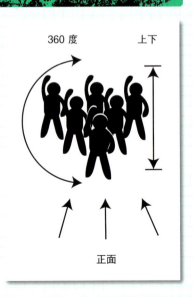

正面だけではなく、ステージのある舞台では、下(1階席)や上(2階席)からの目線も意識しましょう。円形の舞台では360度の視線を意識する必要があります。

Step 2 フォーメーションを考える

フォーメーションを考える上で大切なことは「見ている人からはどう見えているか」です。

まず一番簡単な方法は図形を作っていくことです。ある図形から別の図形に変えるために移動します。それができたら次に移動の方法を変えていきます。

同じ形の中で人が入れ替わったり、移動の途中で動きに変化を付けてみたりすると躍動感のある立体的なフォーメーションになるでしょう。

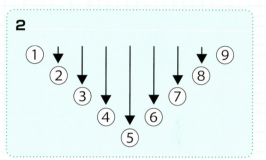

1から2へとフォーメーションを変化させます。一人ひとりの動きを考えていきましょう。

フォーメーションの一例

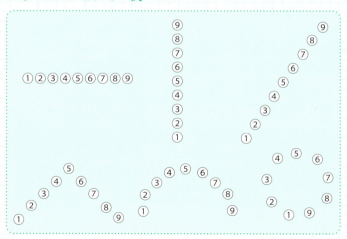

ひとつの図形から別の図形へとフォーメーションを変化させて、躍動感を出していきましょう。

 フォーメーションは、まずは図形を意識して動いてみよう!!

第2章 チーム力をアップするために

29 フォーメーションと動きに変化をつけ、立体感を出す!

難易度 ★★☆

演舞のフォーメーションの変化と合わせて、様々な動きの変化を加えることで、立体感のあるダイナミックな踊りが可能となります。

Step 1 ステージを空間でとらえた演出をする

集団でのダンスの面白さは、踊る集団の動きの変化にあります。全員が密集したり、分散したり、といった動きは迫力があります。さらに、高低、速い遅い、縦横を意識した動きを取り入れるなど、ダイナミックに空間を変化させながら流れのあるフォーメーションを考えていきましょう。フォーメーションの動きに合わせて、振り付け自体に変化をつけることも同時に行っていきます。

動きの一例

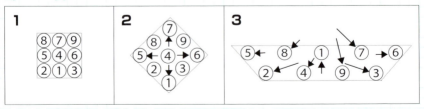

Step 2 全体の動きに変化をつける

フォーメーションの動きと合わせて、次のような動きを取り入れながら変化を付けてみましょう。また変化を組み合わせてみるのもよいでしょう。

ユニゾン
全員が一緒の動きをする。

カノン
同じ動きをタイミング（カウント）をずらして行う。

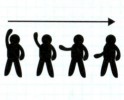

シンメトリー（ミラー）
左右対称の動き方をする。

アシンメトリー
左右非対称の動きをする。

ランダム
全員がバラバラな動きをする。

コントラスト
高い動きと低い動き、曲がった動きと直線的な動き、多人数と少人数など反対の動きを組み合わせる。

その他
全員でゆっくりと動く「スローモーション」、全員で一斉に動きを止める「ストップモーション」、ポッピングのひとつで時計の秒針のような動きをする「ティッキング」などの動きも加えてみましょう。

 フォーメーションや動きを工夫し、立体的な変化を出そう！

30
動きを合わせることで
ユニゾンをそろえる

難易度 ★☆☆

ユニゾンは、コンテストによって、一定時間取り込むことが条件になっているなど、勝敗を左右する重要な要素になっています。心して取り組みましょう。

Step 1 まずは振り付けを完璧におぼえる

ユニゾンは踊っている自分達だけではどこがそろっていないのかなかなかわかりません。そのため、先生やコーチ、ダンスリーダーがまず全体の動きをチェックしていきます。

初めから細かいところまで揃えようとせず、まず全体の流れを身体に叩き込んで、どの部分からでもすぐに踊りだせるようにしましょう。振り付けが身体に染み込んでいなければユニゾンをそろえることは出来ません。考えなくても振り付けが出てくるようになるまで踊り込みましょう。

Step 2 動画を活用して動きをそろえる

　動画を活用してみんなで動きを確認します。その際に自分の動きではなく他の人の動きを確認するようにすることがポイントです。

　「AさんはBさんを見る」などのようにあらかじめ見る人を決めておきます。手の位置や角度、足の向きや前後左右、身体の向きなどの間違っている部分や箇所を教え合います。動画はスローモーションで見るようにすると動きの違いがはっきり分かります。不明な部分が出てきたらダンスリーダーに確認したり皆で話し合いをしましょう。

これまで踊ったダンス動画をいつでも見られるようにしておくと、復習にも使えて便利です。大切なのは、あくまでも動きのチェックとして使用すること。ダンスの批判はしないようにしましょう。

real voice

練習は、ユニゾンをそろえることに最も時間がかかります。しかし、部活での練習量だけでは、とうてい足りません。そのため、みんなで踊りを合わせた動画を共有して、各メンバーが自主練することで、練習時間の不足をカバーしています。

ポイント 踊りをおぼえて、大まかな動きを合わせた後に、細部を合わせていく。

31 リズムに合わせることでユニゾンをそろえる

難易度　★★☆

ユニゾンはリズムに合っていてこそ絶大な威力を発揮します。音をよく聞いてその曲のリズムを身体で表現してみましょう。

Step 1　リズムに合わせて踊る

ユニゾンはただ動きがそろっていればいいというものではありません。リズムに合わせることがとても大切。まずユニゾンをあわせる基本となるリズムの音取りをしてみましょう。低音部や高音部、バスドラムやスネアドラム、ベースラインなど音楽は様々なパート、様々な楽器で構成されています。パートごとに音取りをしてみてどのリズムラインにユニゾンを合わせるか話し合い、実際にリズムに乗せて踊ってみましょう。

Step 2 流れるように踊り、リズムを見せない

例えば、パートごとに担当者が振りつけを考えユニゾンとして作ったものを、そのままリズムに乗せるとリズムや振り付けの「切れ目」がわかってしまうことがあります。切れ目がわかってしまうと「あ、ここからは別の人の振り付けだな」と見ている人からわかってしまうので、切れ目やカウントを見せないように隙間を無くしたり、全体の流れを自然にまとめたりしていくことが必要です。

Step 3 音の変化やアクセントを利用してみよう

音楽には変化のある場所や隙間を埋める音、通称「オカズ」「フィル・イン」などと呼ばれる部分があります。こういった部分をうまく使って音にハメられると、ユニゾンの見栄えがかなり違ってきます。また言葉や効果音の部分で間を取ったり、アクセントを入れたりすることで、ユニゾンに独創性が出てきます。

ダダダダダダン

 音ハメを上手に使ってユニゾンに変化をつけてみよう。

32
指先から髪の動きまで一糸乱れぬ**ユニゾン**をする

難易度 ★★★

大会やコンテストで上位に入るためには、ユニゾンの圧倒的な力が必要になります。ユニゾンによる心をひとつにしたパフォーマンスで、上位入賞を目指しましょう!!

Step 1　さらに上のレベルの一体感を目指すには

ユニゾンが完璧にそろうようになると立体感とパワーが出てくるのでダンスが浮き出て見えるようになります。3Dメガネをかけて映像を見るような感覚やインパクトを、見ている人に与えることができます。完璧にユニゾンをそろえるには髪の毛の揺れ方まで研究する必要があります。髪の毛の揺れ方がズレているということは踊り方が違っているという証拠です。手の角度、脚の向き、顔の位置など、細かくチェックしながらズレているところを修正していきましょう。

Step 2　基準となる生徒と2人で踊って合わせる

　同じユニゾンを踊るメンバーを2人ずつ選んでユニゾンをそろえていきます。特に大人数で踊るときは前後左右の離れた位置にいる人は動きが違っていることがよくあります。

　メンバーを変えながら2人ずつ合わせていき、4人、6人、8人と次第に踊る人数を増やして、最後に全員で踊って合わせるようにします。

Step 3　BPMを変えて踊って、ユニゾンを合わせる

　曲のBPM（テンポ）を変えてユニゾンを合わせてみましょう。スローにして合わせると振り付けのどの部分でユニゾンがズレているかよくわかります。スローで合わせられないユニゾンは通常の速さで踊っても合いません。焦らず振り付けを確認しながらそろえていきます。

　逆に速く踊って合わせる方法もあります。速く踊れるのになれてくると通常の速さで踊ることに余裕が出てくるのでどの部分で振り付けがズレてくるのかに気付くことが出来るようになります。

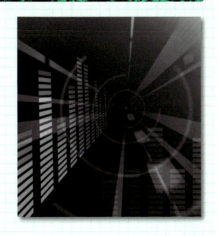

 ユニゾンを極めて、圧倒的なパワーを手に入れよう！

33 合宿で衣食住を共にしてチームワークを育む

難易度 ★★☆

部活のメンバーと寝食を共にしながら、長時間の練習を通して、技術力のアップやチームワークを育んでいきましょう。

Step 1　長時間の練習を集中してできる

　ダンス部の中には、年に1回程度の合宿を取り入れているところもあります。学校の教室などに寝泊まりして自炊をしながら練習するケースもあれば、地方の民宿などに泊まってダンスに取り組むケースなどもあります。普段はなかなか練習時間が確保できないことが多い中で、衣食住を共にしながら、長時間練習に取り組めることが、合宿の大きなメリットです。

Step 2　食事を共にし、心を通わせる

合宿を通して、食事を作ったり、一緒に食事をしたり、生活を共にしながら心を通わせることで、ダンスにも良い影響をもたらします。相手の好みや性格などがわかっていなければ、本当の意味で、心をひとつにして踊ることはむずかしいものです。共同生活を通して、お互いの理解を深めて、息の合った最高のダンスを目指しましょう。

Step 3　レクリエーションを取り入れる部活も

合宿中、ひたすらハードな練習だけに取り組むと、体力的にも精神的に追い込まれてしまうことがあります。そんなときは、少し息抜きできるような、お楽しみのレクリエーションも取り入れましょう。

ダンス部の中には、フリースタイルのダンスバトル大会を開催することで、楽しみながらダンスに取り組んでいるところもあります。あるいは、ダンスとは関係なく「どっきり企画」を実施するなど、心置きなく楽しめるイベントを用意しているところも。レクリエーションを通して、部活のメンバーで一緒に笑い合うことで、自然とチームの輪が生まれます。ときには「ダンスをしない時間」も団結力のためには必要です。

real voice

コンテスト前の最後の追い込みとして、当日の何日か前に合宿を入れています。徹底してユニゾンを合わせたり、苦手な部分を強化したり、本番さながらに衣装を着て踊ったり、コンテストに向けての最後の調整を行っています。

 合宿でレベルアップを図りながら、チームの団結力もアップ。

34
勉強にもしっかり取り組み
ダンスと両立させる

難易度 ★★★

学生である限り、ダンスと勉強を両立させることが求められます。限られた時間を効率よく使い、効果的な勉強をしましょう。

Step 1 勉強とダンスを両立させよう

ダンス部の平均的な練習日数は平均すると週に3、4日ほどあり、そこに朝練が数日加わることも。強豪校になると、週6日練習し、しかも毎日朝練があるという部活もあります。そんな中で、学校の勉強との両立は大変です。

しかし、選手層が厚い学校では、「学校のテストで赤点をとると選抜選手からはずす」という方針を出しているところもあります。限られた時間の中で精一杯、ダンスと勉強の両立を目指しましょう。

Step 2 すきま時間を有効活用する

「勉強する時間なんてない」という人もいるかもしれませんが、すべての人に与えられているのは等しく1日24時間です。本当に時間がなければ、バイトや遊び、趣味など、何かに費やしている時間を勉強時間に置き換えなければなりません。おすすめは、通学中の電車の中やトイレなど、今現在何となく過ごしているすきま時間を勉強時間に活用することです。

15分のすきま時間を4回見つけることができれば1時間の勉強時間を作ることができます。

Step 3 早く寝て、朝勉強してみては？

部活の後は疲れているから勉強をしようとしても眠くなってしまう、という人もいるかもしれません。そんな人は、思い切って早く寝て、朝起きて勉強をするというのも一つの方法です。夜に勉強するよりも、限られた時間の中で集中して取り組めるため、短い時間で効果的に勉強することができます。

1日は誰にでも等しく24時間！ 時間を効率よく使ったり、限られた時間で集中して勉強に取り組む！

35 それぞれの持ち味を活かしながら踊る

難易度 ★★★

身体の大きさや性格が一人ひとり異なる中で、それぞれの個性が引き立つような演出を目指してみましょう。

Step 1　それぞれの違いをカバーし、魅力を引き出す

　一人ひとり身体の大きさ、骨格や筋肉量は違います。筋肉がつきすぎて、やわらかい繊細な動きが難しい場合は、逆にパワフルな動きにアレンジした振り付けを加えることもひとつの方法です。ユニゾンは苦手だけど個性的なダンスをする人には、ソロの見せ場を作るなど、弱点を強さに活かすような演出も検討してみましょう。

 それぞれの持ち味を活かした演出で、自分たちならではの強みを生み出す。

見る人の心を動かす

舞台（ステージ）の使い方

コンテストやイベントで踊りを披露するときは、舞台にまつわる基本的な心構えが必要です。
また、その舞台ごとの特徴をとらえて、よりダンスが魅力的にみえる演出をしていきましょう。
舞台の使い方の4つのポイントを取り上げます。

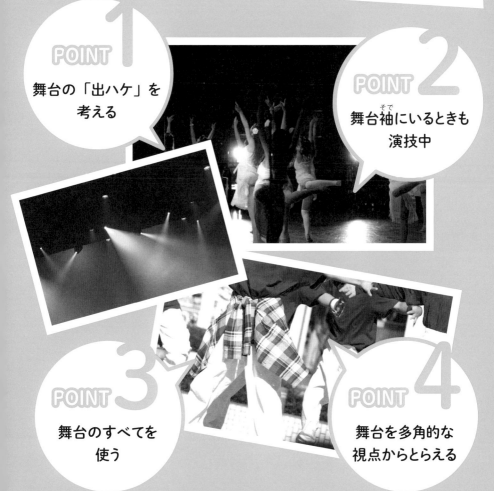

POINT 1 舞台の「出ハケ」を考える

POINT 2 舞台袖にいるときも演技中

POINT 3 舞台のすべてを使う

POINT 4 舞台を多角的な視点からとらえる

舞台の「出ハケ」を考える

「出ハケ」で世界観に引き込む

　舞台用語では、入場することを「出る」、退場することを「ハケる」と言うことから、入退場をまとめて「出ハケ※」と呼びます。コンテストや大会に出場するときは特に、落ち着いて踊るためにも、「出ハケ」の練習は不可欠です。

　演者の目線からみて、左側を上手（かみて）、右側を下手（しもて）と呼びます。「出る」ときは、上手と下手どちらから入場するのか、センターのラインの位置、舞台に上がったときの各自の立ち位置もそれぞれ覚えておきましょう。このとき、ダンスのテーマにそった一体感のある入場ができると理想的です。

　「ハケる」ときも、上手と下手どちらで退場するのかを把握しておきましょう。退場するさいは、同じタイミングで決めポーズを解いて、統一感を持ちながらハケていくなど、作品の余韻（よいん）が残るような退場の仕方を考えてみましょう。

※「イリハケ」と呼ぶ人もいる。その場合、上手、下手の入退場を「上イリ、出ハケ」などといったりする。

忍者走りのような出ハケは、かえって悪目立ちすることも。その風景に馴染むような、テーマにそった自然な出ハケが理想的。出ハケも表現のひとつとして、とても大切です。

舞台袖(そで)にいるときも演技中

気の抜けた様子が、観客の集中力を奪う

　基本的な舞台には、上手と下手にそれぞれ袖幕(そでまく)があり、その奥にある観客から見えないスペースを「舞台袖(そで)」と言います。

　1つのダンス作品の中で、出演者は何度も出ハケを繰り返すことがあります。舞台でダンスをし終えた出演者は、舞台裏に来るとホッと一息つきます。つい気が抜けて、おしゃべりをしたり、姿勢を著しくくずしたりするようなケースも見受けられます。

　しかし、実は舞台袖は、観客席からは意外とよく見えるため、「舞台袖にいるときも演技中！」という心構えを持っておくことが大切です。

　なぜなら、観客（審査員含む）がダンスに集中できなくなるためです。舞台袖における無駄な動きや雑音は、観客からするとかなり気になるもので、ついついそちらに目がいってしまうのです。すばらしい演技をしていればしているほど、舞台袖の不用意な態度で、集中して見てもらえなくなることは、とてももったいないことです。

舞台袖でも、舞台に立って演技をしているときと同じような気持ちで、出番を待つことが大切。

POINT 3 舞台のすべてを使う

ダイナミックなダンスを目指す！

　ダンスを踊る舞台の広さは、コンテストや大会ごとに決められていることもあるし、会場によって広さが変わることもあります。そのダンスのテーマや人数にもよりますが、その舞台の間口（横）、奥行（縦）を目一杯使って、ダイナミックなダンスを展開しましょう。

　最初から最後まで、舞台のセンターにとどまったままだったり、おなじ立ち位置でダンスをしているだけだと、観客からすると、どうしても変化にとぼしい単調なダンスに見えてしまい、飽きられてしまいます。

　そこで取り入れたいのが、フォーメーション（P76 参照）です。舞台を俯瞰的（上から見下ろす）にとらえて、ダンスをしながら前後左右に立ち位置を変化させていきます。フォーメーションは、ダンスを立体的に見せる、非常に重要な要素となっています。

まるでひとつの生き物であるかのように一糸乱れぬユニゾンをしながら、縦横無尽に形をかえていくダンスは、人の心をつかみ感動を呼び起こす。

舞台の広さや形に合わせてアレンジ！

　もしも、小さな舞台を想定して考えたフォーメーションのダンスを、広い舞台で行うことになったなら、その舞台に合わせたアレンジを考えていくことも大切です。逆のケースもまた同様で、大きな舞台を想定したフォーメーションなら、狭い舞台でそのダンスが映えるようにアレンジしていくことが求められます。

　中には、観客が周囲を囲むような円形もしくは半円形などの舞台もあります。屋内か、屋外かによっても環境が変わってきます。

　その舞台に合わせて、観客のいる方向や角度を意識しながら、そのダンスがもっとも魅力的に見えるフォーメーションや演出を考えていきましょう。

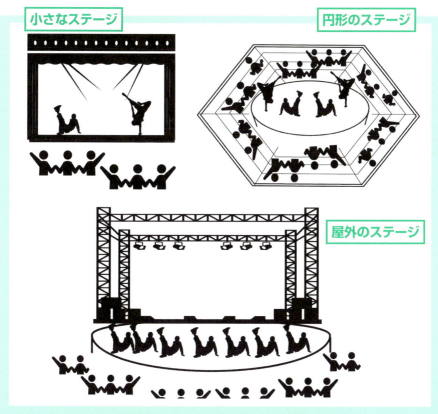

ステージの大きさ、形、屋内か屋外かなど、その環境に合わせて構成をアレンジしていくことが大切。

舞台を多角的な視点からとらえる

自分達のダンスをいろいろな角度から見る

　舞台のダンスを、観客はいろいろな角度から見ています。1階席正面で見ている人もいれば、2階席の下手寄りの席で見ている人もいるし、3階席の上手寄りの席で見ている人もいます。

　優れたダンスは、どの角度から見ても、ダンスが立体的に見えてきます。逆に、よくありがちなのが、1階席正面の観客しか意識していないダンスです。他の席から見ると、立体感のない物足りないダンスに見えてしまいます。

　立体感を生み出すおすすめの方法は、いろいろな角度から映像をとって、自分達のダンスに立体感を生み出す振り付けやフォーメーションを追求していく方法です。

　見ている人に、迫って来るような立体感のあるダンスを披露することを目指しましょう。

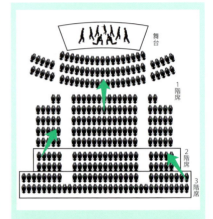

観客席から舞台を見る角度

観客はいろいろな角度からダンスを見ています。絵画のデッサンでは、「面でとらえる」という考え方があります。対象物の面の光の当たり方の違いをとらえて、対象を立体的にとらえる方法です。このような発想をダンスにも活用してみましょう。

まとめ　舞台は巨大なキャンパス！

ここまで、よりダンスが魅力的に見える舞台の心構えや演出方法を取り上げました。ここで紹介したものは、ダンスを考える上での基本となるポイントですが、あくまで考え方の一例です。「舞台は巨大なキャンパス」です。自分達の色、自分達の構図で、キャンパスに絵を描くように、自分達ならではのダンスを追求していきましょう。

3

大会で勝利をつかむ！

36 コンテストに出場して自分たちの実力をためす

難易度　★★☆

ダンスを披露する場所は大きく分けて「コンテスト」「ダンスバトル」「ショーケース」の3つがあります。それぞれの違いを知ったうえで、挑戦しましょう。

Step 1　実力を競い合う「コンテスト」

コンテストは、個人・スモール（少人数）・ラージ（大人数）などのカテゴリーがあります。それぞれ自分たちで準備した曲と振り付けで順番に演技していきます。コンテストは、審査員が採点をして、順位をつけていく競技です。1位、2位、3位といった順位の他に、審査員特別賞などの採点要素だけではない賞が授与されることもあります。コンテストは、自分たちの現在の実力を試すのにとても良い機会です。

Step 2　楽しませることを第一にした「ショーケース」

ショーケースは、個人・チームなどで、地域のお祭りやダンスのイベントなどに参加して行います。ここでは、見ている人を楽しませることを目的にしてダンスを踊ります。順位は関係ありませんが、ステージの観客に向けて、日ごろの練習の成果をしっかりと見せましょう。まずは、自分達が楽しむことが大切です!!

Step 3　即興ダンスで競い合う「ダンスバトル」

ダンスバトルの形式は、1対1のソロバトルや、3対3などのチームバトルなどがあります。DJによって選曲された曲に合わせて、即興で交互に踊り合って競います。審査員によってジャッジされ、より音楽の雰囲気に合わせて、表現豊かに踊り、優れた技を出した方が勝ちとされます。

ポイント　それぞれの大会の形式に合わせて出場し、自分たちのダンスレベルを知る！

37 選抜方式で代表選手を選び**実力主義**を導入する

難易度　★★☆

コンテストの勝利を目指したり、部活の中で競争意識を芽生えさせたりするのに効果的なのが、代表選手を選ぶ「選抜方式」です。

Step 1　同じ振り付けを踊って評価し、選抜する

　選抜方式としてよくあるのが、一人ずつ、もしくは、数人ずつでダンスして、それぞれを評価して、優れている人を選ぶというもの。「大会で勝ちたい」「全国大会に出場したい」などの目標に向かって、選抜チームを作って力のある選手を送り込むことができます。また、選抜チームは、モチベーションの高い選手が集まることで、切磋琢磨しながらさらなるレベルアップを図れます。

Step 2　選抜のやり方はいろいろ

　選抜のやり方は、さまざまな方法があります。一般的なのが、生徒たちの踊りを、顧問や外部指導者が評価して選ぶというやり方。他にも、部活への出席率が高く、学校の成績が良いことも選抜チームに入る条件となることも。別の方法としては、選手同士で誰を選抜チームに入れるか話し合いで決めるという方法もあります。純粋に技術だけでなく、チームワークを重視するなど、そのチームに合ったやり方でメンバー選びを行いましょう。ダンスジャンルを分けてメンバーを選別するという方法もあります。

Step 3　選抜からもれた生徒のモチベーションの維持が課題

　3年生だけでなく、2年生や1年生にもチャンスをあたえる完全実力主義による選抜方式を導入することで、「選抜に選ばれたい」という目標に向かって部全体のモチベーションが高まります。ただし、問題となるのは、選抜に落ちた生徒や、途中で諦めてしまった生徒です。別のチームを編成し、新たに目標設定をしたりして、モチベーションを高める工夫やフォローが必要です。

real voice

選抜で、スモール（少人数）に出場するAチーム（選抜）とラージ（大人数）に出場するBチームに分けて、コンテストに参加しています。選抜のチームは安定してモチベーションが高いのですが、Bチームのモチベーションがまちまちになってきてしまいがちです。いかにやる気を引き出し、AチームとBチームが競い合える環境を作れるかを目指しています。

ポイント　部活内で競争意識を高め、全体のレベルアップを図る！

38 「何を伝えたいのか？」を考えて作品を作る

難易度 ★★★

コンテストに向けての音楽の選定や振り付けを決めていくうえで、まず大切になるのがテーマ。オリジナリティのあるテーマを考えましょう。

Step 1 みんなでアイデアを出し合い、テーマを決める

　ダンスのテーマ設定は、顧問や外部指導者が考えるケースもありますが、できれば部活のメンバーでアイデアを出し合ってみましょう。テーマの決め方は自由ですが、一例としては、具体的テーマにするのか抽象的テーマにするのか、どのような技（ユニゾン、アクロバット、ポップなど）を使って、どのような世界観（和、現代、夢の世界など）で、どんなキャラクター（芸者、女子高生、ピエロなど）が登場するかを考えていきます。もちろん「ダンスの技術そのものをシンプルに見せる！」というテーマも考えられます。

Step 2 過去の大会をヒントに、かぶらないテーマを！

強豪校の中には、過去の大会で出場校がどんなテーマで演技を行っているのかをリストアップして、自分たちのテーマを決める参考にしているところもあります。コンテストで同じテーマで踊る学校があると、それぞれの印象が薄まってしまうことがあります。

Step 3 伝えたいことを、伝わる内容にまとめる！

自分たちが「何を伝えたいのか？」は、ダンスを創作するうえでの中心となるものです。いかに、それをわかりやすく伝えるかがとても大切な要素になってきます。衣装や音楽の選定、ストーリーなどの演出を通して、見ている人に伝わる内容にまとめていきましょう。テーマを言わないでダンスを見てもらい、第三者の予想したテーマと、自分たちが伝えたいテーマが合っているかを確認する方法もあります。

「友達ができない女の子をダンスマンが踊りで救う」をテーマに、衣装を一人ひとり変えて、ストーリー性のある踊りにしました。練習時間がなかなか確保できない中で、全体のユニゾンを少なめにし、ソロやランダムな動きを増やすことで、作品の完成度を高めて、ダンスタの審査員特別賞を受賞できました。

 「自分たちが伝えたいこと」を、ダンスを通してわかりやすく伝える。

39 音楽を深く理解してダンスで表現する

難易度 ★★★

音楽とダンスは切っても切れないものです。ダンスの作品を作るうえで音楽は、ダンスと同様に重視しなければいけません。音楽を大切にし、理解しながら踊ることで、演技に深みが出てきます。

Step 1 音楽とダンスは切っても切れないもの

　作品を作る際に、振り付けが先か、音楽が先かは、人によって変わります。いずれにしても、音楽とダンスの世界観がマッチしているかどうかは、作品にとってとても重要な要素です。にもかかわらず、意外にもダンスの技術レベルが優れていても、音楽への理解が足りないために、評価がそれほど伸びないケースがよくあります。ダンスの演技に使用する音楽をしっかりと理解して、踊りを表現していくことが大切です。

Step 2　音楽の編集や音質にもこだわる

　コンテストや大会で使用する音楽は、数曲を組み合わせたり、そこにオリジナルの曲を組み合わせたりして作ります。せっかく音楽とダンスの世界観がマッチしていても、音質が悪かったり、音楽のつなぎが不自然だったりすると、点数がいまひとつ伸びない原因のひとつになってしまいます。

　よくあるのが、オリジナル曲が、通常の音源よりも音質が極端に悪くなってしまうというもの。曲のつなぎ目が自然ではなく、違和感を感じさせてしまうのです。よりよい音質や曲のつながりにするための研究をしてみましょう。

Step 3　歌詞を深く理解し、踊りに反映させる

　曲の歌詞をしっかり理解して、踊りに反映することも大切です。たとえば、悲しみを表現する歌詞で、明るく元気に踊っていては、世界観が表現できません。また、大切な歌詞が途中で切れるのも、音楽を編集する際に、歌詞を理解していないことになります。英語の歌詞であっても、しっかりと意味を理解し、自然なつながりにする必要があります。さらに、楽曲に暴力・わいせつ・差別などを助長する歌詞が入っているものは適切ではない場合もあります。

うちでは顧問と外部指導者が、コンテストに向けて4曲程度の選定をして、音楽の編集を行っています。4曲使っているのに1曲にしか聞こえない、それくらいこだわって、ほぼ1ヵ月近く編集に時間をかけて完成させました。コンテストで優勝できたときには、本当にうれしかったです。

　音楽とダンスは車の両輪。楽曲をしっかり理解して、ダンスの世界観を作る！

40 異なるリズムのダンスを組み合わせて、変化をつける

難易度 ★★★

同じリズムの音楽やダンスだけでは、どうしても単調になってしまいます。リズムを変えることで変化をつけましょう。

Step 1 リズムを重ねて音楽やユニゾンに厚みをつける

　例えば1小節の中には、全音符や4分音符、8分音符など異なる音符があります。それと同じように、同じ音の長さの中に入っているビートを変えて、パートごとに踊ってみたり、多重構造にしてみたりして変化をつけていきましょう。

　そうすると、同じ舞台でリズムが違うユニゾンが展開されていくため、見ている人達に不思議な違和感や錯覚を起こすことができます。

　まずは試しに全く違う音楽で作った1分くらいのユニゾンを、2グループで同時に踊ってみましょう。どこかで不思議にリンクするような部分が発見出来たらラッキー。別のリズムを重ねながら、そういった部分を増やしていくことで、ダンスや作品に厚みが出てきます。

Step 2 リズムを変えて作品の見せ場を盛り上げる

音楽のリズムに変化を付けましょう。音楽のBPM（テンポ）を次第に遅くしたり、早くしたりするなど、変化を付けることによって、見ている人に錯覚を起こさせることが出来ます。

たとえば気付かれないように段々曲を遅くしていくと今まで見えていなかった部分が急に見えてきたりします。

たとえて言うならば、止まっているエスカレーターに乗った時に感じる錯覚のようなものです。見ている人の認識や予測を裏切ることでインパクトを与えることができます。

Step 3 曲の構成を考えよう！

音楽を作る上で構成をどのようにするかは振り付けの「はじめ・なか・おわり」を作るのと同じで、とても大切です。例えばロンド形式[※1]やソナタ形式[※2]のような曲の構成で音を組み合わせてみるのもよいでしょう。音楽はコール＆レスポンスのような関係になっていることも大切で、音楽を何曲も使っている場合はコールしたままの投げっぱなしの状態で終わらせてしまうと、尻切れトンボのような形でスッキリしない終わり方になってしまいます。

（例）
小ロンド形式の場合

A曲	B曲	A曲	C曲	A曲

※1 異なる旋律を挟みながら、同じ旋律（ロンド主題）を何度も繰り返す音楽の形式
※2 序奏・提示部・展開部・再現部・結尾部からなる音楽の形式

 音楽の構成を徹底的に追求しよう!

Step 4 曲と曲をつなげダンスミックスを作ろう！

　異なる曲と曲をつなげて、ダンスミックス※を作ってみましょう。実際に音楽をつなげてみると、いろいろな発見ができます。ダンスをするさいに、しっかりベース音を意識できるようになるなど、音の感性もみがけます。

　まず自分がつなげたいと思う2、3曲を選びます。その曲を、音楽編集ソフトを使って、実際に2分～2分半程度のダンスミックスに編集してみましょう。

　ポイントとなるのは、「どんな曲を選ぶか」「それぞれの曲のどの部分を切り取ってつなげるか」です。自分が踊りたい曲をつなげていくのが一番ですが、以下の点にも注意して、ダンスミックスづくりに挑戦してみましょう。

※ミックス（mix）は、曲の一部をつなげて、新たな曲を作ることです。リミックス（Remix）と呼ばれることもありますが、こちらは曲に新しいパート加えたり、パートを削ったり、より多くのアレンジを加えながら、曲を作ることです。

◆ミスマッチな例　曲のテーマや歌詞の内容がまちまち

甘い初恋の曲　＋　宇宙をイメージした曲　＋　社会批判を込めた曲

たとえば、適当に洋楽の曲をつなぎ合わせたら、上のようなテーマの曲の組み合わせになったとします。この組み合わせが絶対にいけないわけではありませんが、方向性が違いすぎてミスマッチを起こす可能性があります。曲のテーマやジャンル、歌詞の内容などにも注意を払って選曲しましょう。

オカズ、アクセント、音ハメを加える

　より心地よく踊れるダンスミックスにするために、効果音を入れたり、ノイズを加えたり、様々なアレンジを加えてみましょう。たとえば、出だしにラジオの音声を入れたり、曲と曲のつなぎ目にスクラッチオンを加えたり、ストーリーに合わせてパトカーのサイレン音を入れたり、曲以外の音の要素を効果的に加えることでより魅力的な曲に仕上がります。このような演出効果を「オカズ」や「アクセント」、「音ハメ」などと言ったりします。

Step 5　心地よいダンスミックスを目指そう！

　曲と曲をつなぐことになれてきたら、ダンスの展開と連動させながら、起承転結を意識した踊りやすいダンスミックスの制作を目指してみましょう。ひとつの方法としては、クラシック音楽の形式をもとに、サビをどこにするかを検討するのもよいでしょう。

　心地よく踊れないダンスミックスの例としては、「前奏が長すぎて飽きる」「サビのもりあがり部分が途中で切れてしまう」「テンポが悪く、踊りにくい」「曲のつながりが悪い」などが挙げられます。また、音をミックスしすぎて音質が悪くならないように注意しましょう。

　音楽の心地よさは、個々の感覚でも異なってくるため、絶対の正解はありません。判断するおすすめの方法としては、出来上がったダンスミックスをいろいろな人に聴いてもらい、率直な感想をもらうことです。

クラシックの形式を活かす参考例

A曲、B曲、C曲の3曲を、クラシックで用いられる「小ロンド形式」や「ソナタ形式」で組み合わせるとつぎのような構成になる。

小ロンド形式　| A | B | A | C | A |
　　　　　　　　サビ　　　サビ　　　サビ

ソナタ形式　| A | B | C | A | B |
　　　　　　　サビ　　　　　　サビ

クラシックの形式で、曲をつなげ、そこに前奏をくわえるなど、さらにアレンジを加える方法も。どこのサビで、ダンスの最大の盛り上がりを作るかも考えよう。

作曲にも挑戦してみよう！

　近年は、スマートフォンなどで音楽制作アプリを使い、簡単に曲を作れるようになりました。気軽に作曲にも挑戦し、様々なリズムや楽器を組み合わせて、オリジナリティあふれるダンスミックスを作ってみましょう。

タブレットのアプリで作曲をする様子。

 曲を作って、音の感性をみがく！

41 自分たちだけの"強み"を生み出し、研ぎ澄ます！

難易度　★★★

自分たちのダンスには「これ」があると言えるような"強み"を持つことで、ダンスにオリジナリティや他にはない個性が生まれていきます。

Step 1　他にはない強みが、魅力的なダンスを演出する

　全国の学校がしのぎをけずるダンスのコンテストでは、毎年、常連の強豪校が上位にくいこんできます。その理由のひとつとして、自分たちだけの強みを持っていることが挙げられます。「圧倒的なユニゾンの一体感」や「独創性のある衣装や振り付けの構成の面白さ」など、自分たちだけの強みに磨きをかけて魅力的なダンスを披露していることが、上位に食い込む要因となっているのです。

Step 2　こだわりへの追求が、他にはない強みを生む

「あくまでポップダンスをメインに振り付けを構成する」という学校や、「開脚の練習を取り入れ、体の柔らかさを活かした表現を武器にする」という学校、「山場には必ずアクロバットを入れ込む」という学校など、自分たちの好きなダンススタイルへのこだわりや、見せ場への追求が他にはない強みを生み出しています。

柔軟性を強化して、ダンスの中に柔らかい表現を入れ込み、自分たちの強みにしている。

Step 3　記録に残るダンスと記憶に残るダンスは別物

コンテスト等で上位に表彰されるダンスは、構成力も優れ、時間をかけてユニゾンの動きをそろえた完成度の高い演技が多い傾向にあります。

一方で、技術力は不足しても、他にはない強みを前面に押し出し、観客や審査員にインパクトをもたらし、特別賞などを受賞するケースも。案外、そういったダンスの方が、のちのちまで記憶に残るもの。

どこを目指すのかによって、時間をかける部分や力を入れるポイントが変わってきます。

学校の決まりで週3、4回の練習しかできないので、なかなかユニゾンの精度などを突き詰めて、コンテストの上位を目指すのが難しいのが現状です。そこで、作品としてのインパクトや構成の面白さを重視し、見ている人を驚かせたり、感動させたりするダンスを目指しています。私たちのねらいはずばり、審査員特別賞です。

記録に残るダンス、記憶に残るダンス、どちらを目指すか（あるいはどちらも目指すか）を考える！

42 衣装にこだわって ダンスをより良く魅せる！

難易度 ★★★

衣装は、何でもよいというものではありません。ダンスや音楽の世界観にマッチした衣装選びをしましょう。

Step 1　衣装は、ダンスが引き立つ形や色を考える

　コンテストにおける衣装は、ユニフォームではなく、ただそろっていればよいというものではありません。たとえば、体のシルエットを出した方がよい振り付けであれば、タイトな衣装にしたり、激しい動きがより強調できるような衣装にしたり、ダンスのイメージに合ったデザインやカラーにすることが大切です。観客や審査員が度肝を抜くような意外性や面白さ、美しさといった衣装の要素も、加点ポイントになることがあります。ただし、その場合でも、曲やダンスの世界観と衣装がマッチしているかどうかがとても大切になります。

Step 2　コンテストの衣装、どう作る？どう用意する？

ダンスの衣装は外注で専門の業者にお願いするという部活もあれば、自分たちですべて製作＆調達するという部活もあります。また、衣装案は漫画研究部に何通りかのデザインを出してもらい、部員の保護者のサポートで製作しているなどの例もあります。限られた予算の中で、様々な工夫をこらしながら衣装を作っています。

まず手近なところでは、足元からそろえることをおすすめします。大会の靴はもちろん、普段の練習から、全員のシューズの形や色までそろえているところもあります。靴が統一されていると、靴がバラバラであるときよりも、足の動きがそろって見えてきます。

Step 3　衣装がテーマや時代背景と合っているか？

よくある失敗例としては、衣装と、楽曲・ダンスのテーマ・時代背景が合っていないというケースです。衣装の選択を誤ると、ダンスを引き立てるどころか、違和感が生まれてしまい、ダンスの世界観に入り込めなくなってしまうこともあるので注意が必要です。自分たちがダンスを通して「何を伝えたいのか？」をしっかりと見すえたうえで、どのような衣装が良いのかを考えましょう。

real voice

衣装と合わせて、使用する小物の可能性も模索しています。大会やコンテストなどでは、小物は「手で持ち運べるもの」という規定がある場合もあります。傘や扇子、帽子などの小物はよく使われますが、たとえば小型のトランポリンなど、表現の幅を広げる小物による演出も検討しています。

ポイント　ダンスを良くも、悪くもする、衣装は極めて重要な要素。

Step 4　衣装チェンジの意味を考える

　衣装や小物を選ぶとき、踊りのテーマや内容としっかり関連づけておくと、その世界観が深まっていきます。逆に、見た目だけが大げさで、テーマに合っていないと、観客に伝えたいことが伝わらなくなってしまいます。

　たとえば、前半では仮面をつけて地味な色の衣装で踊り、後半では仮面をとって派手な色の衣装にチェンジして踊るという展開でダンスをしたとします。ただ単に演出的に行なったというだけでなく、そこにどんな意味をもたせ、それを踊りの中でどう表現していくかがとても重要になるということです。

　自分達の中でその意味を持っているだけでなく、ダンスの表現を通して、見ている観客や審査員にもそれが伝わっているかがとても大切です。

◆**仮面を用いたダンスの場合**

仮面をする意味
自分が思っていることを話せず、人の顔色を見てばかりで、本当の自分を内側に隠した状態。

↓ 衣装チェンジ

仮面をとる意味
自分の考えを外に発したり、自由な生き方を追求したりして、自分らしさを解放した状態。

テーマが伝わるか試してみよう！

　自分達のダンスのテーマが観客に伝わっているかどうかを確認するために、まずはテーマを伝えずに周りの人にダンスを披露し、評価してもらいましょう。テーマや意図が伝わっていなければ、ダンスの表現や展開を見直すことも検討しましょう。

**このような意味を、ダンスの中でどう表現するか？
それがどのように観客に伝わっているか？**

Step 5 小物を効果的に使おう

踊りの中で、さまざまな小物を使うケースが出て来ます。扇子、傘、ステッキ、帽子、手袋、ベールなど、その種類は多岐にわたります。小物は効果的に使うことで、ダンスの世界観に、より観客を引き込むことが可能です。

ただし、ちょっとしたアクセント程度に使用するだけだと、期待感だけあおってしまうことになりかねません。たとえば、ダンスの途中に、サングラスをとったり、キャップぬいだり、ジャケットを脱いだりするとします。「何かあるのかな?」と期待感を高めておいて、そのまま何もないと、期待はずれな印象になってしまうのです。

どうせ小物を登場させるなら、ダンスのテーマや曲、踊りそのものと連動していたり、遊び心ある演出を加えたりして、期待を裏切らないパフォーマンスをすることが理想的です。

例1 テーマに合った小物使い

たとえば、祭りをモチーフにした作品であればリフト(組み技)などで山車を再現したり、祭りの様子をダンスの動きで表現したりすると思います。

そのさい、小物としては、うちわ、のぼり、はっぴ風の衣装などを効果的に使うことで、より祭りの世界観が伝わりやすくなります。

例2 小物でトリック魅せる

ダンスの中で、キャプやハット、サングラスなど、小物をはずす場面が出て来たなら、ちょっとした曲芸に挑戦してみるのも良いでしょう。

空中に浮かせた小物を回転してキャッチしたり、キャップトリックをしてみたり、パントマイムに挑戦してみたり、オリジナルな演出を考えて観客を楽しませてみましょう。

ポイント 衣装や小物を、効果的に使う!

43
体調管理を徹底しつつメンタルを強化する

難易度 ★★★

日々のダンスの練習に集中して取り組み、練習へのモチベーションを高く維持し続けるためには、体調管理が大切になります。心身をメンテナンスし、本番でも最高のパフォーマンスを目指しましょう。

Step 1　食事や体重の変化を記録する

より良いダンスをするためには、体調管理は不可欠です。日々の体調管理をしていく方法のひとつとしては、食事、睡眠、心の状況などを体調管理表やダンスノート（P48参照）などに記入していくというものがあります。ノートを書き続けることで、どんな食事内容で、どれくらいの量を食べて、どれくらいの練習をしたかによって、自分の体調やダンスのパフォーマンスへの影響などが見えてきます。また、身体が重くて踊りにくいというときは、ノートを確認して身体のバランスを整えましょう。

Step 2　ケガをしない体づくりとメンテナンスを心掛ける

　ケガや故障は、疲労が蓄積したり、体の弱い部分に無理がたたったりして起こります。それを緩和するためにも、ウォーミングアップ（P32参照）やクールダウン（P44参照）が欠かせません。特に練習後の静的ストレッチは、心身のメンテナンスにおいても重要です。

Step 3　心の状態をチェックし、メンタルを強化する！

　気分がすぐれなかったり、不安定な状態が続くときには、成果があがらず思わぬケガを招くこともあるため、休養をとることも大切です。

　強豪校の中では、定期的に心の健康度のチェックを行ったり、心の筋トレにあたるメンタルトレーニングを取り入れたりしているところもあります。メンタルの安定や強化は、練習へのモチベーションを維持し、コンテスト等の舞台で良い演技をするうえでも欠かせません。

real voice

うちでは日々の練習の成果を高めて、コンテストに強い気持ちでのぞめるように、メンタルトレーニングを取り入れています。たとえば「練習不足で大会で失敗したらどうしよう」という焦りを、「集中して苦手部分を練習し、大会で悔いのない演技をしよう」など、ネガティブにとらえがちのことをポジティブに置き換えて考えられる訓練を日ごろからしています。

心身を良い状態に保ち、高いパフォーマンスを発揮！　ときには休むことも必要！

44 ダンスバトルで勝つための駆け引きに慣れる

難易度 ★★★

即興でダンスを踊り合うダンスバトルで、巧みな駆け引きを通して勝利をもぎとりましょう。

Step 1 即興ダンスのパフォーマンスで競い合う

　ダンスバトルは、1対1のソロバトルもしくは3対3（3on3）などのチームバトルがあり、DJの音楽に合わせて交互に踊って、より良い表現ができた方が勝ちとなるダンス競技です。

　また、DJがかける音楽は事前に知ることはできないため、音楽にふさわしいダンスを即興で踊れることも大きなポイントです。さらに、歌詞を表現したり、音ハメ（P83参照）を使ったり、多彩なテクニックを使って表現していきます。

Step 2 駆け引きを繰り広げながら勝利をつかむ

　大会によってルールは変わりますが、たとえば3対3のチームバトルを行う場合、制限時間30秒〜45秒などの中で、2ムーブ（2回ずつ）交互に踊り、審判が勝敗をジャッジします。相手の出方に対してどのように返すか、勝利を勝ち取るための駆け引きを、くり返しの練習の中で身につけましょう。

バトルの例

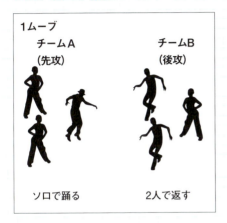

1ムーブ
チームA（先攻）　　チームB（後攻）
ソロで踊る　　　　　2人で返す

（解説）
　1ムーブで先行がソロでポップダンスを組み込んだフリースタイルで仕掛けてきたので、後攻は2人のポップダンス主体の踊りで返す。

　2ムーブで先行は3人の勢いのあるユニゾンを披露してきたので、後攻はソロのテクニックを駆使したブレイクダンスであえて返す。

2ムーブ
3人で返す　　　　　ソロで返す

real voice

ダンスバトルでは、DJがどんな音楽をかけてくるかわかりません。そこで、ブレイクダンス系の踊りのパターンやヒップホップ系の踊りなど、何パターンかジャンルごとの得意ネタを持ってダンスバトルに挑んでいます。

ポイント　駆け引きの中で、得意のダンスを発揮して、相手を上回るパフォーマンスで踊る！

45 審査員がどのような視点で見ているかを知ろう！

難易度　★★☆

コンテストで良い結果を出すためには、審査員がどのような評価項目で採点をしているかを知ることがとても重要です。

Step 1　審査員の評価項目について知っておこう

コンテストの種類によって審査員の評価項目は変わりますが、一例としてダンススタジアムの審査員の評価は次の6項目60点満点で採点しています。

ここからもわかるように、ダンスのテクニックやコレオグラフィー（振付・構成）だけではなく、ビジュアル、エンターテインメント、音楽なども同じように重要な要素になっています。さらに、審査員ごとに評価がかわるスペシャリティーという各項目があるのも特徴です。それぞれの項目に関連するページも参考にしてみましょう。

❶テクニック　　　　　　　10点
　P80-85参照
❷コレオグラフィー　　　　10点
　P72-79参照
❸ビジュアル　　　　　　　10点
　P112-115参照
❹エンターテイメント　　　10点
　P74-75,102-103参照
❺音楽　　　　　　　　　　10点
　P104-109参照
❻スペシャリティー　　　　10点
　P121,131参照

※各項目の具体的な内容はP122 を参照

Step 2 審査員の視点を元に、完成度を高めよう

たとえば、ユニゾンを見せたいときに、技術の高い人を前の列にし、技術の低い人を目立ちづらい後ろの方に配置したとしても、審査員の目線は前列と後列の技術差をしっかりと見ています。ユニゾンをより良く魅せるには、全員の技術力を底上げすると共に、全員が踊れる一定の水準に動きを合わせる必要があります。正面から見ると、ユニゾンがそろっているダンスに見えても、別の角度から見るとそろっていないように見えてしまうことがあるのです。

審査員は、ダンサーだけでなく、ダンス未経験者も含む、様々な形でダンス業界にかかわる人達です。

Step 3 スペシャリティーについて知る

左ページで紹介した審査員の評価項目のうちの❻のスペシャリティーは、各審査員ごとに点数の付け方が変わります。これをすれば点数がもらえるという確実な方法はありませんが、審査員の得点の平均値が高い方が上位になりやすく、他の評価項目と連動してあがりやすい項目でもあります。

あえて言うなら、作品全体を通して伝わる、こだわりや熱意などといった審査員の心を動かす要素（P131参照）が大きな影響を及ぼしているといえるかもしれません。

real voice

コンテストに出場するにあたって、❸ビジュアルと❺音楽については、コンテストの前から手掛けておける要素が多くあります。ですからこの2つの項目については、コンテストに向けて、数カ月前から何度も試行錯誤しながら改良を加えています。ここは絶対に得点を逃せないところと考えています。

ポイント 出場するコンテストの審査項目は、必ず抑えておこう！

Step 4　1点をどう積み上げるかが大切！

　ダンススタジアムの審査員の評価項目（P120 参照）を参考にすれば、6項目各10点の合計60点満点で採点しています。特に上位の順位は、数点の差で決まることも珍しくありません。6項目のうちの1項目でも1点分改善できたなら、審査員が5人いた場合は5点アップするとができ、順位がひっくり返る可能性は十分にありえます。勝利を目指すには、1点をどれだけ積み重ねていけるかにかかっていると言っても過言ではありません。

　作戦の1つとして、通常の練習を進めつつ、さらに重点項目を掲げて練習に取り組んでみてはいかがでしょうか？　苦手な項目を改善したり、得意な項目をさらに伸ばしたり、自分達に合った方法で1点を積み上げていきましょう。

スコア表（Score table）の使い方
部活内で審査する際や、模擬コンテストで審査員に評価してもらうさいに、下のスコア表をコピーして活用してください。

Score table

項目		得点
❶テクニック	（技の精度・ユニゾンの動きのメリハリなど）	／10
❷コレオグラフィー	（振付・構成・フォーメーションなど）	／10
❸ビジュアル	（衣装・ヘアー・メイク・表情・世界観など）	／10
❹エンターテイメント	（演出・アイデア・ショーマンシップなど）	／10
❺音楽	（使用音源の選曲・構成・音質など）	／10
❻スペシャリティー	（審査員ごとの全体的総合評価）	／10
合計		／60

memo

Step 5 模擬コンテストで、自分達の実力を知る！

　自分達のダンスに足りない部分を強化して伸ばそうと思っても、今どれくらいのレベルにあって、何が足りないのかを知ることは難しいことだと思います。そこでおすすめなのが、模擬コンテストを行うことです。これは実際に出場する予定のコンテストと同じ評価項目で、審査員をつけて、ダンスを見てもらい評価してもらうという取り組みです。そうすることで、自分たちの現状の力を、客観的な目で判定することができます。

　審査員の顔ぶれは、コンテストによって変わってきますが、ダンスの専門家だけでなく、大会スポンサーといったダンスの専門家ではない方も加わることがよくあります。そのため、模擬コンテストの審査員も、ダンスに詳しい人だけでなく、あまり詳しくないという人も混ぜてみても良いでしょう。ダンスを知らない分、純粋な目で評価し、思わぬ視点から良い点、悪い点を気付かせてくれることがあります。

具体的なアドバイスをもらう！

　審査員をつけて模擬コンテストを行うさい、ぜひ左ページのスコア表を使ってください。また、裏面の白紙を活用してもらうなど、良い面も悪い面も、具体的な評価内容を記入してもらいましょう。

　自分達の強みがわかることで、その部分をさらに強化できます。また、自分達の弱点に気づけることで、すぐに改善につなげられます。着実にレベルアップにつなげていきましょう。

模擬コンテストは、必ずしも実際のコンテストと同じような配点にはならないかもしれません。しかし、点数で評価される分、現状の力を数値化して知ることができます。また、人前で踊るため、本番の予行練習にもつながるなど、多くの収穫が得られます。

 ポイント　模擬コンテストで、現状の力を知る！

Step 6　少人数と多人数のダンスの違いを知ろう！

コンテストによって、出場人数の枠は変わります。少人数と多人数のダンスを同じカテゴリーで審査するコンテストもあれば、少人数と多人数のダンスをカテゴリーを分けて審査するコンテストもあります。

ダンススタジアムの場合は、スモールクラス（2～12名）とビッグクラス（13名以上）、2つのカテゴリーに分けて審査をしています。審査をするさいの評価項目自体はどちらも同じです。

また、審査員によっても、少人数と多人数のダンスの見方は異なりますが、大枠では共通認識を持っていることも多いです。たとえば、「少人数であれば、人が少ない分、個々の技術力がより見えやすくなる」ことや、多人数であれば、「フォーメーションやユニゾンなどのチーム力の表現に注目が集まりやすくなる」ことなどです。

ここではダンススタジアムの基準にのっとって、少人数と多人数のダンスの魅力や難しい点などの傾向、審査員の目線も紹介します。それぞれの特徴、強みや弱みを知っておくことは、自分たちのダンス作品をまとめるうえでとても重要です。

◆少人数〈スモールクラス（2～12名）〉

魅力
- 個人の技術力を発揮できる（ソロなど）
- 高いレベルでダンスできる達成感
- ダンスのアレンジをしやすい
- 少ない人数で作品が作れる

◆多人数〈ビッグクラス（13名以上）〉

魅力
- ユニゾンによる圧倒的なパワー
- 重層的なフォーメーション
- テーマや世界観を表現しやすい
- 人が多いので役割分担ができる

みんなで舞台に立っている！

　少人数と多人数でチーム分けをして、練習を別々にしていると、部活内で分断が起こってしまいがちです。ライバル心はあっても、お互いのチームに敬意をはらって、一丸となってのぞみ、当日はしっかりお互いに応援し合いましょう。

　コンテストで舞台に上がっているのは、選ばれた選手だけではありません。会場で応援する生徒も、衣装を作ってくれた方も、応援し続けてくれている保護者も、みんな一緒に舞台に立っています。自分がダンスが出来ている、この環境を支えてくれている、すべてのみんなの力で舞台に立っている。そんな感謝の気持ちとともに、最高の演技を目指しましょう。

難しい点
- より高度で洗練されたユニゾンが求められる
- 個々に責任がのしかかり、替えが効かない
- 向上心が高い集まりゆえに、衝突することも
- 舞台のすべてを使いきれない

審査員's VIEW
少人数は、個々の技術はもちろん、表情までしっかり見える。技術面は厳しい目で見ることもある。テクニックはあるけれど、他の項目は力の入れ具合が低い作品もある。

難しい点
- ユニゾンを合わせるのが難しい
- ダイナミックなフォーメーションに四苦八苦
- 人が多いため、チームの運営が難しい
- 人によって技術力、モチベーションに差が出る

審査員's VIEW
多人数は、全体でのユニゾンの一体感や、フォーメーションの巧みさなど、チーム力を発揮する動きに特に注目している。いくら多人数といっても、極端に踊れない子がいると、そこに注意がいってしまうこともある。

 すべての仲間と共に、最高の演技を目指す

46 表現力をアップさせて ひとつ上のダンスを踊る

難易度 ★★★

同じダンスでも、表現力豊かに踊るダンスは格段に見ごたえが増し、見る人の心にうったえかけます。表現力をアップさせるコツを学びましょう。

Step 1 曲を理解し、体で表現するのがダンサー

ダンスの表現力とは、曲を聞いて、その中に込められた感情をどのようにダンスの中で表現するかがポイントになってきます。音楽の歌詞やメロディーを理解して、「うれしい」「楽しい」「悲しい」「怒り」などの感情を、しっかりと表現していきましょう。ダンスの練習の際には、メンバー全体で、その感情表現を話し合ったり、共有したりしながら、表現力豊かなダンスを目指しましょう。

Step 2　曲の流れに合わせて表情を変える

よくありがちなのが、ダンス中に足元を見て踊ってしまうこと。表情が見える見えないの以前の問題なので、まずはまっすぐ前を向いて踊ることが大切です（ステージでは少し上を向くと見栄えが良い）。また、前は向いていても、無表情に踊るのは、せっかくのダンスが台無しになってしまいます。もちろん、無表情よりは格段に良いのですが、ひとつの曲の中で終始、満面の笑顔を作るというのも、どこか表情が嘘っぽくなってしまいます。また、帽子をかぶることで表情が見えにくくなってしまう場合もあります。曲の流れに合わせたダンスの感情表現を追求したり、鏡の前で表情を研究したりするのもおすすめです。

Step 3　ダンスにグルーヴ感を出すには？

曲のリズムに合わせて踊っていても、グルーヴ感がないと魅力が半減してしまいます。グルーヴとは「ノリ」や高揚感のことで「バイブス」と表現されたりする場合もあります。一定のリズムではない、その音楽の持つ独特のリズムや、そのダンス独特のズレや強調といったリズム感覚のことです。踊っている自分達自身がグルーヴ感を感じることももちろん大切ですが、観客にグルーヴ感を感じてもらうことも魅力的なダンスの表現につながります。グルーヴ感を表現するには、ダンスジャンルごとの音の特性をよく知り、それを表現することが大切です。

real voice

グルーブ感を出すために、アイソレーションやリズムトレーニングなどの基礎を徹底して体得できるようにトレーニングするのと同時に、そのダンスジャンルの音楽をよく聞くことを意識づけています。なかなか言葉で説明しにくいものなので、ワークショップやダンスイベントを見に行くなど、できるだけ本物に触れる機会を増やすことも大切にしています。音楽の中のグルーヴを感じて、しっかりと体で表現することを目指しています。

ポイント　音楽をよく聴いて、それを踊りを通して表現する。

47 メンバーの個性を発揮！

難易度 ★★★

協調性を大事しながらも、部員一人ひとりの個性や才能を引き出し、それを活かすことを目指しましょう。

Step 1　個性を活かす方向性で考えよう

　ダンスのユニゾン自体は、協調性を特に大事にするため、それぞれの個性を抑えなくてはいけないことも出てきます。しかし、独創性があったり、技術が優れたりする人には、ソロの踊りで見せ場を作るなど、個性を発揮する場を用意することも大切。テーマや演出、衣装などの発想力で思わぬ才能を発揮するメンバーもいます。部員の様々な意見に耳を傾けつつ、それぞれの能力を引き出すことが、他にはない、その部活ならではの強さにつながっていきます。

 ポイント 部員の様々な個性や才能を引き出し、活かすことが、強さにつながる！

48 コンテスト前の心構え

第3章 大会で勝利をつかむ！

難易度 ★★☆

コンテスト直前になると興奮して、練習熱が高まってしまう人も多いでしょう。その気持ちをぐっと我慢し、本番に向けて調整に入りましょう。

Step 1 コンテスト前の練習は軽めに行う

コンテストの前日まで踊り込みをすると、翌日に疲れが残り、本番でうまくパフォーマンスが発揮できないことも。特に無理な練習でのケガには要注意です。軽めの練習に切り替えて、コンテストに向けて、心身ともに自分自身のベストなパフォーマンスを発揮できるように調整しましょう。心を落ち着けて、睡眠をしっかりととることも大切です。どうしても興奮して眠れない人は、目をつぶって横になってリラックスするだけでもある程度の疲れはとることができます。

ポイント コンテスト直前は、軽めの練習にするなど、体調管理に力を入れる。コンテスト当日に、ピークを持ってこよう！

49 ダンスの楽しさを再確認する

難易度 ★☆☆

競技としてのダンスに取り組むだけでなく、ダンス本来の踊る楽しさや、人を喜ばせるダンスの力を感じましょう。

Step 1 イベントでダンス本来の楽しさを再確認

コンテストを目標に「競技として勝つ」ために練習していると、学校や地域のイベントで踊るときに、気が緩んでしまうことがあります。「人を楽しませる」「自分も楽しむ」というダンス本来の喜びを感じるためにも、コンテストの振り付けをするのは顧問やコーチでも、イベントは生徒だけで作るなどの試みをするのもおすすめです。どうしてもモチベーションが上がらないときは、選抜のセレクションやコンテストの予行練習として活用するのも良いでしょう。

ポイント 踊ることの楽しさや、人を喜ばせるダンスの力を再確認することで、ダンスの魅力がアップ！

50 感動を生むダンスを目指す

難易度 ★★★

ダンスには人を感動させる力があります。踊れることの喜びや表現できる楽しさを心から感じながら、ダンスに挑みましょう。

Step 1 心の底から踊りを楽しむことが、感動につながる

　一糸乱れぬユニゾンや見事なまでに練り込まれた演出、圧倒的なダンスの美しさなどを目にした人は、その背景にある膨大な練習量と共に、そのダンスに感動を覚えます。たとえ技術は未熟であっても、仲間と共に踊る喜びを全身にたたえながら、懸命にダンスをする姿もまた、見る人の心を打つものがあります。それは、見る人にとっても、ダンサー自身にとっても最高の瞬間です。コンテストで勝利することは尊いことですが、それ以上に仲間と踊ることそのものに大きな価値があります。仲間と踊った思い出は、一生忘れることのない宝物となります。

 仲間と踊れる喜びをかみしめて、見る人と共に感動を分かち合おう!

衝撃を与える
ダンスの見せ場とは!?

ダンスの展開を考えるにあたって、ぜひ取り組んでほしいのは、「見せ場」を作ること。大技に取り組むことで、会場の観客をわかせたり、コンテストの審査員の評価が高まったりすることが期待できます。ここでは、3つの大技を紹介します。

Part1
高さや浮遊感を演出する

リフト（組み技）

　作品の山場を作るのにおすすめなのが「リフト」です。これは、バレエなどでも行われている、二人以上で行うダンスのテクニックです。一人が別のもう一人を高く持ち上げたり、抱えたりすることで、高さや浮遊感などを演出できます。

　複数人が土台となって、一人を高く上げたり、人をほおり投げて受け止めたり、大掛かりなリフトもあります。リフトによってダイナミックな動きを取り入れて、ダンスの見せ場を作りましょう。

基本のリフト

①Aの後ろからBが腰を支える。②Aのジャンプのタイミングに合わせてBがさらに持ち上げる。

複数人のリフト

①Aのジャンプに合わせてBが腰を支えて持ち上げ、腰の高さに構えたCとDの手のひらにAの足をのせる。②CとDが胸の高さまで持ち上げ、BはAの足を支える。CとDがさらに高く頭上に持ち上げ、DはAの足首を支える。

リフトが隠れる演出を！

リフトしているところを、できるだけ見せないような演出を考えることで、突然高い場所に人が現れるように見えます。リフトの効果を最大限に活かす、フォーメーションやダンスのタイミングを考えていきましょう。

さりげなく他のダンサーが重なりながら、リフトを隠すことで、サプライズ効果がアップ。

Part2
不思議な世界観を生み出す

連鎖（カノン）

　おなじ振り付けを、少しずつ時間差で踊っていく「連鎖」も、見せ場としておすすめです。音楽の用語で、旋律を模倣しながら追いかけてゆく技法であるカノン（輪唱）に似ていることから、このダンスの技法を「カノン」と呼ぶこともあります。カウントのずれた動きが連続していくことで、観客に違和感を与え、ダンスの中に不思議な世界観を生み出すことができます。

フォーメーションと動きを組み合わせる！

連鎖は、並び方（フォーメーション）と動きの組み合わせによって。無数のパターンがあります。たとえば、横一列で体をそらせる動きで連鎖をするとウェーブ（波）のようになります。ここで紹介する連鎖の例を参考に、いろいろと組み合わせて、自分達ならではの連鎖を考えてみましょう。

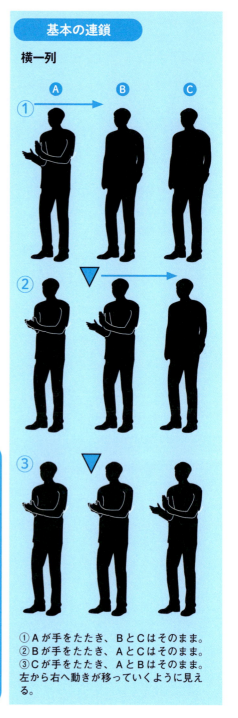

基本の連鎖

横一列

①Aが手をたたき、BとCはそのまま。
②Bが手をたたき、AとCはそのまま。
③Cが手をたたき、AとBはそのまま。
左から右へ動きが移っていくように見える。

動きの連鎖

縦一列

①縦一列にならぶ。②前から後ろへ、少しずつカウントをずらして、ポーズをとる。
ポーズを終えたらもとの姿勢にもどっていき、①の状態になる。

後ろから前への連鎖は、より高度になり、見せ方も工夫が必要になる。

フォーメーションの連鎖

円

①円をつくる。②右回りで、少しずつカウントをずらしてポーズをとっていく（動きの連鎖）。
③さらに、反転させるなど、フォーメーションを変化させる動きを連鎖させる（フォーメーションの連鎖）。

動きの連鎖

縦一直線シンメトリー

1人ずつ左右対象（シンメトリー）で連鎖をしていくと、またひと味異なる印象を与えることができる。

動きを工夫して連鎖に挑戦しよう。正面から見たとき、阿修羅のように腕がたくさんあるように見せることも可能。

V字型ウェーブ

左右同時に連鎖をして、端までいったら波のように再び戻ってくる。左右のラインが、同じペースで進むことが求められるため、より難易度がアップ。スピードに変化をつけてみたり、いろいろなパターンを試してみよう。

見せ場がかぶらないことも重要!

コンテストや大会では、たくさんの学校が出場し、次々とダンスをしていくので、見せ場がかぶるケースもよくあります。同じような見せ場だと、二回目以降に演技する場合、印象が薄れてしまいます。見せ場の印象を強くするには、できるだけ他とかぶらないようなオリジナリティある見せ場を考えることも重要です。

Part3
激しい動きでインパクトを与える
アクロバット

バク転をするなど曲芸のような技を「アクロバット」と呼びます。迫力ある「アクロバット」をできるメンバーがいれば、ダンスの見せ場にできます。

> **失敗したらどうするの!?**
>
> インパクトを与える大技への挑戦は、失敗のリスクもつきまといます。失敗した時、どのように建て直していくかリカバリー策も、あらかじめ考えておきましょう。失敗をしても表情にだすことなく、失敗を感じさせないように、ダンスを続けることも大切です。

基本のアクロバット 01

側転
難易度 ★☆☆☆☆

側面を向きながら片足で踏み切り、両手を地面について側面に回転し、着地する。

側転1/4ひねり(ロンダート)
難易度 ★★☆☆☆

側転の途中で、体を4分1ひねって、横を向いた状態で着地する。

側方宙返り
難易度 ★★★☆☆

側面を向きながら片足で踏み切り、両手を地面につかずに側面に回転し、着地する。

基本のアクロバット 02

前方倒立回転跳び（ハンドスプリング） 片足で踏み切り、前方の地面に両手をついて回転し、着地する。

難易度 ★★★☆☆

後方倒立回転跳び（バックハンドスプリング） 背中側に体を反りながら両足で踏み切り、両手を後方の床についてさらに回転し、着地する。バク転（バック転）とも呼ぶ。

難易度 ★★★☆☆

初動や助走を見せずに行う

「宙返り」、「バク宙」、「ウェブスター」など、アクロバットには多彩な技が多くあります。初動や助走を見せない演出で、見ている人に、アクロバットをすると思わせないようにすると、技を決めた時のインパクトが大きくなります。

ウェブスター

宙返り（サマーソルト）

バク宙（バックフリップ）

魅せるアクロバット

マカコ　難易度 ★★★☆☆

しゃがんだ状態から、片方の手を後方の床につき、もう片方の手を振り上げながら、両足で踏み切って回転していく。脚をやや広げ、ゆっくり回転していくのも特徴。ブラジルの格闘技カポエラの技でもある。

バックスピン　難易度 ★★☆☆☆

床に座った状態から背中で回転していくブレイクダンスの技。最後のフリーズ（ポーズ）を自分たちで考えてかっこよく決めてみよう！

ウィンドミル　難易度 ★★★★★

床で回転をするブレイクダンスを代表する技。最後はバックスピンをしてからチェアと呼ばれる姿勢などで止まる。

巻末企画

他の学校から学ぼう！

取材・撮影に協力してくれた学校の特徴やデータを紹介します。部活の体制や取り組み方、ダンスをする環境などは、それぞれ学校ごとに異なります。自分たちの部活をより良くするための参考にしましょう。 ※掲載情報は2018年度のものです。

目黒日本大学高等学校　ダンス部
（旧・日出高等学校）

ダンスとアクロバットの融合をテーマにした、迫力ある独自のダンスで日本一を目指している。夏の大会前は長期合宿をして大会に挑んでいる。日本高校ダンス部選手権 夏の公式全国大会2017年スモールクラス産経新聞社賞などの実績がある。

DATA
部員：21人（高校1年7人／2年9人／3年5人）
男女比：1対9
練習：週6回・平日3時間程度
練習場所：ダンスホール
顧問ダンス経験：なし（器械体操）
外部指導者：あり（スタイルジャズ）

二松学舎大学附属高等学校　ダンス部

ポップダンスを主体に日々練習に取り組んでいる。ダンス部の中で、毎月ダンスバトルを開催して、その結果で並び順を変える実力主義を導入。日本高校ダンス部選手権 冬の公式大会 東日本大会2015～2018（ダンスバトル）4連覇などの実績がある。

DATA
部員：41人（高校1年28人／2年8人／3年5人）
男女比：4対6
練習：週3回
練習場所：教室
顧問ダンス経験：あり（ポップダンス）
外部指導者：なし

実践学園中学校・高等学校　女子ダンス部

練習スペースや時間の制約がある中、規律を持って集中して練習に取り組むと同時に、動画を共有して復習するなどの工夫を取り入れる。日本高校ダンス部選手権 夏の公式全国大会2018年スモールクラス ストリートダンス協会賞などの実績がある。

DATA
部員：71人（中学7人／高校1年21人／2年26人／3年17人）※他チア44名
男女比：0対10
練習：週3回
練習場所：体育館・地下ホール・廊下
顧問ダンス経験：あり（創作ダンス）
外部指導者：あり（ヒップホップ・チア）

東京都立大森高等学校　ダンス部

自由な校風の中で、部員全員に役割を与えて、責任感を持たせる部活運営をする。毎回、演出を工夫しながら、観客を魅了するダンスを披露している。日本高校ダンス部選手権 夏の公式全国大会2018年ビッククラスで審査員特別賞などの実績を持つ。

DATA
部員：54人（高校1年25人／2年19人／3年10人）
男女比：2対8
練習：週5回
練習場所：生徒ホール
顧問ダンス経験：あり（ブレイクダンス）
外部指導者：あり（ヒップホップ）

東京女子学院中学校・高等学校　ダンス部

2012年に設立して、2017年、同好会から部活に昇格した。ジャズダンスとヒップホップの2種類のダンスに取り組む独自のスタイルを模索。目標は「中高共に全国へ」。全国中学校ダンスドリル選手権大会2017、2018全国大会・国際大会出場などの実績がある。

DATA
部員：17人（中学6人／高校1年2人／2年5人／3年4人）
練習：週3回
練習場所：ダンス場
顧問ダンス経験：あり（ヒップホップ）
外部指導者：あり（ヒップホップ、ジャズダンス）

監修紹介

一般社団法人ストリートダンス協会　専門委員長
日本高校ダンス部選手権"DANCE STADIUM"
審査員

のりんご☆（前山善憲）

神奈川県相模原市に生まれる。小学生の時に見たマイケル・ジャクソンのムーンウォークに衝撃を受けダンスを始める。ダンスチームFLOOR MASTERS・EAST-Bのメンバーとして活動。日本テレビ『ウッチャンナンチャンのウリナリ、ダンスTENJIKU　全国大会』で優勝し日本一の栄冠に輝く他、数々のダンス大会で優勝する。ダンスと共に演技、マジック、ジャグリング、大道芸なども行ないダンスと大道芸を融合させた日本における第一人者、踊るエンターテイナー「のりんご☆」として様々なイベントやメディア等へ出演している。ダンススタジアムを始めとした数々のダンス大会の審査員を務め、その見識は高い評価を得ている。

【大会の種類】
日本高校ダンス部選手権

「春の公式大会」は新人を対象とした大会で、3月末に開催し、高校入学から1年間の成果を競い合う。スモールクラスとビッグクラスの2種目がある。東日本大会、中日本大会、西日本大会、九州・沖縄大会の4エリアで実施される。

「夏の公式大会」は、7月から8月にかけて開催する、高校日本一を決める大会。スモールクラスとビッグクラスの2種目がある。全国10会場で予選を行い、予選で勝ち抜いたダンス部が関東の会場に集まり、日本一を競い合う。

「秋の公式大会」は、11月に開催。夏の全国大会直近3年間で決勝進出していない学校が出場できるWEB戦。

「冬の公式大会」は、3対3で取り組むバトル形式の大会で、12月に開催する。東日本大会と西日本大会があり、東西それぞれの王者を決める。

日本中学校ダンス部選手権

中学生のダンス部、日本一を決める大会で、7月から8月にかけて行われる。中日本、西日本、東日本の3つの予選大会があり、それを勝ち抜いたダンス部によって全国大会を開催する。

協力

一般社団法人 ストリートダンス協会
Street Dance Association

2009年に設立した一般社団法人 ストリートダンス協会は、高校生・中学生のダンス部日本一を決める大会『ダンススタジアム』の運営を行う。2011年より5月と11月の年2回ストリートダンス検定を開催する。ダンサーたちにとって確固たる目標をつくり、自己表現の方法としてストリートダンスを選んだ人々が、ゆるぎなく夢に向かえる環境づくりを目指した活動を展開している。

ストリートダンス検定

検定は、ヒップホップ・ジャズ・ロック・ハウス・ブレイキング・ポップの6ジャンルがあり、各ジャンルに10級から1級までの10段階のレベルが設定されています。

DANCE STADIUM（ダンススタジアム）

　2008年に始まったダンススタジアムは、ダンス甲子園の名前でも親しまれている、高校・中学校ダンス部の日本一を決める日本高校ダンス部選手権と日本中学校ダンス部選手権の総称。春・夏・冬に日本高校ダンス部選手権を開催してきた。また、2012年からは日本中学校ダンス部選手権を実施。さらに2020年には、日本高校ダンス部選手権に、秋の大会も加わる。

※全国高等学校ダンスドリル選手権大会、高校ストリートダンス選手権、全日本高校生ダンス部コンペティション、全国高等学校ダンス部選手権など

STAFF

監　　　修	のりんご☆（前山善憲）
協　　　力	一般社団法人　ストリートダンス協会
取 材 協 力	ERIKA・大貫美空・小松侑美
編集・執筆	高橋淳二・野口武（以上　有限会社ジェット）
デ ザ イ ン	白土朝子
Ｄ　Ｔ　Ｐ	株式会社センターメディア

部活でスキルアップ！
ダンス　上達バイブル　増補改訂版

2023年5月15日　第1版・第1刷発行
2024年9月20日　第1版・第2刷発行

監　　修	のりんご☆
協　　力	一般社団法人　ストリートダンス協会
	（いっぱんしゃだんほうじん　すとりーとだんすきょうかい）
発行者	株式会社メイツユニバーサルコンテンツ
	代表者　大羽　孝志
	〒102-0093 東京都千代田区平河町一丁目1-8
印　刷	株式会社厚徳社

◎『メイツ出版』は当社の商標です。

●本書の一部、あるいは全部を無断でコピーすることは、法律で認められた場合を除き、著作権の侵害となりますので禁止します。
●定価はカバーに表示してあります。
Ⓒジェット,2019,2023.ISBN978-4-7804-2775-2 C2076 Printed in Japan

ご意見・ご感想はホームページから承っております
ウェブサイトhttps://www.mates-publishing.co.jp/

企画担当:堀明研斗

※本書は2019年発行の『部活でスキルアップ！ダンス　上達バイブル』を元に、新しい内容の追加と必要な情報の確認・更新を行い、「増補改訂版」として新たに発行したものです。